KB171803

더 팩토리 (개정판)

더 팩토리 개정판

발 행 | 2024년 07월 23일
저 자 | 김광호
펴낸이 | 한건희
펴낸곳 | 주식회사 부크크
출판사등록 | 2014.07.15.(제2014-16호)
주 소 | 서울특별시 금천구 가산디지털1로 119 SK트윈타워 A동 305호
전 화 | 1670-8316
이메일 | info@bookk.co.kr

ISBN | 979-11-410-9613-7

www.bookk.co.kr

더 팩토리 개정판

공장 운영의 원칙과 가치창출

김광호 지음

프롤로그

당연한 것을, 멈추지 않고, 제대로 해야 강한 기업이다

강한 현장이 강한 기업을 만든다. 강한 현장은 현장이 중심이 되어 낭비가 쉽게 보이는 구조를 만들고 발견된 낭비를 현장이 주도해 꾸준히 개선해 나가는 조직이다. 현장력을 바탕으로 위기에도 강한 체질로 만드는 조직이다. 강한 기업의 핵심은 현장에 있고 현장의 중심에는 현장관리자가 있다.

강한 현장이 되려면 기본 품질과 원가에 충실하며 매력 품질에 도전하는 글로벌 경쟁력 제품을 만들 수 있어야 한다. 현장이 중심이 되어 스스로 문제를 발굴하고 등록, 추적관리하며 활발한 의사소통을 지원하는 시스템 체계를 갖추어야 한다. 전 직원이 문제해결 전문가로서의 역량과 실행력, 협업능력을 갖춘 열린 인재로 성장해 가야 한다.

스마트팩토리의 키워드이자 제조경쟁력(operational excellence)의 핵심요소는 속도, 유연성, 제품의 질 그리고, 효율성'이다. 자사 제품과 환경에 최적화된 생산방식을 접목함으로써 제품이 출시되는 시간을 단축시키고(speed), 한정된 생산자원 내에서 다품종 소량생산을 가능하게 하며(flexibility), 좋은 품질은 계속 유지·개발하면서(quality), 효율적인 생산라인을 만들어야 한다.(efficiency)

최근에는 '애자일(agile)'이 기업 경영 전반에 걸쳐 적용할 수 있는 조직 운영 방식의 하나로 자리매김하고 있다. 고객 요구의 변화에 유연하고도 민첩한 대응을 가장 중요시하기 때문이다. 잘못된 결정을 하는 것이 우유부단하거나 미적거리는 것보다 낫다. 실행하면 수정할 수 있지만, 그렇지 않으면 아무것도 못 한다. 현장의 혁신도 애자일이 필요하다고 생각한다. 치밀한 계획보다는 '해보고 생각하자.'는 실행에 역점을 두기 때문이다. 실패를 두려워하기보다는 일단 실행하고(do), 빨리 실패해 보고(fail fast), 그리고 무엇을 어떻게 고쳐야 할지를 배우고(learn), 다시 시도함으로써(redo) 남들보다 앞선 혁신을 만들어내는 것이다.

《초격차》, 2018년 가을 서점가 베스트셀러 코너를 싹쓸이한 책이다. 삼성전자 반도체 부문을 이끌며 인텔을 제치고 삼성을 세계 최고의 반도체 회사로 이끈 '권오현 사장(현 삼성종합기술원 원장)'의 이야기다. 이 책의 에필로그에 다음과 같은 내용이 있다.

"경영은 시대에 따라 방법이 많이 변하지만 그래도 변하지 않는 기본적인 원칙이 있을 것이라고 생각했습니다. 제가 변치 않을 원칙이라고 생각한 내용을 정리한 것이 바로 이 책입니다."

초격차 기업은 동종 기업이 범접할 수 없는 경쟁력을 확보한 기업을 말한다. 초격차 기업의 성공비결은 '당연한 것을, 멈추지 않고 제대로 한다.'는 것이다. 이것이 성공으로 가는 '느리지만 가장 확실한' 방법이다.

필자는 제조업의 생산성 혁신을 지원하는 경영 컨설턴트다. 자동차, 건설기계, 산업차량, 생활가전, 전기전자, 화장품, 식료품 등 20년간 다양한 산업현장을 누벼왔다. 현장에서 연구하고 적용한 방식이 바로 '린(lean)'이다. 린은 현존하는 최고의 생산방식이라 불린다.

"우리가 린 방식을 도입해서 성공할 수 있을까?" 또는 "린 방식이 우리에게 맞을까?"라는 질문은 사치다. 30년 가까이 많은 글로벌 기업들이 린을 적용해오고 있기 때문이다. 글로벌 기업들의 성공과 발전이 린 방식의 우수성을 방증한다.

필자는 앞서 말한 '당연한 것'이 무엇일까를 고민하다 린에서 강조하는 '핵심 원칙'이라는 결론을 얻었다. 글로벌 기업들이 채택하고 있는 자사 고유의 생산방식을 연구하고 실행해 필자만의 베스트 프랙티스를 확보했다. '멈추지 않고, 제대로 한다.'는 것은 가야 할 방향을 잡았으면 주변 상황 핑계대지 말고 성과가 날 때까지 꾸준히 해야 한다는 의미다. 멈추지 않고 제대로 하고 있는 기업들의 혁신문화와 철학, 사상을 연구했다.

이 책은 제조업 운영에 있어서 '변치 않을 생산 원칙은 무엇일까?'에 대한 고민의 결과다. 아는 만큼 보인다고 했던가. 글로벌 생산시스템과 생산의 5대 원칙을 이해하면 지금 독자의 조직이 처해 있는 문제점이 보일 것이다. 무엇을 하고 무엇을 하지 말아야 하는지, 앞으로의 혁신 방향에 길잡이 역할을 해줄 것이다. 스스로 활기찬 현장을 만들고, 경쟁에서 이기고, 더 힘든 시절이 와도 이익을 내는 공장이 되어야 한다. 이것이 필자가 이 책을 쓴 이유다.

이 책은 총 6장, 30개 파트로 구성했다.

1장은 변화하는 기업환경을 이해하고 현재 기업이 겪고 있는 고충을 담았다. 아는 것도 다시 한번 짚어보고 가자는 의도로 생산성의 개념과 본질에 대해서 다루었다. 린의 탄생 배경을 통해 왜 글로벌 기업들이 린 방식을 채택하게 되었는지 살펴보고, 'XPS'라는 자사생산방식에 대해 소개했다.

2장은 'FLOW'라는 원칙을 다룬다. FLOW는 '흐름화'를 말한다. 물처럼 흘러가는 흐름화 생산을 한다는 의미다. 흐름화가 중요한 이유, 가치흐름을 파악하는 방법, 일관흐름라인을 만드는 필자의 노하우를 소개했다. 흐름화를 방해하는 이상 상황에 신속히 반응해야 하는 이유와 비가동을 최소화하는 방법을 제시했다.

3장은 'PULL'이라는 원칙을 다룬다. PULL은 '당기기 방식'을 말한다. 후공정이 필요한 만큼만 생산한다는 의미다. Push와 Pull의 차이를 통해 당기기 방식의 효용을 짚어보고, 유연한 생산전략 수립 방법에 대해 소개했다. 소로트 생산을 포함해 후공정과 전공정을 동기화하는 과정을 사례를 들어 설명했다.

4장은 '5S/VM'이라는 원칙을 다룬다. 정상과 이상(비정상)이 보이게 한다는 의미다. 정상과 이상이 보이려면 무엇이 어디에 얼마만큼 있는지 보여야 한다. 제조업에서 5S를 기본이라고 하는 이유와 돈이 되는 5S 추진 방법을 알아보고, 조직문화를 접목한 5S 성공 사례를 소개했다. 덧붙여 '보이게 일하는' VM(Visual Management) 대상과 적용 기법도 정리했다.

5장은 'BIQ'라는 원칙을 다룬다. BIQ(Built-In Quality)는 '자공정 품질보증'을 말한다. 공정에서 완벽하게 품질을 확보한다는 의미다. 품질은 공정에서 달성해야 한다. 품질에 대한 필자의 사유(思惟)와 함께 품질에 있어서의 엄격함과 절실함을 다루었다. 표준을 만들고 지켜야 하는 표준 중시문화, BIQ의 사상에 대해 짚어봤다. 품질보증망을 구축한 실제 사례를 통해 BIQ의 핵심 활동을 설명했다.

마지막 6장은 'CI'라는 원칙을 다룬다. CI(Continuous Improvement)는 '지속적 개선'을 말한다. 전원이 참여하여 지속적으로 개선한다는 의미다. 문제를 발굴해서 등록하고 추적관리하는 프로세스, 현장의 문제해결 역량을 키우기 위한 방법론을 소개했다. 신바람 나는 지속적 개선활동을 전개하는 다양한 프로그램에 대해 다루었다.

매 장마다 그 원칙이 나오게 된 배경, 핵심 개념, 추진 방법, 적용 사례를 제시해 최대한 이해를 돕도록 했다. 린과 스마트팩토리의 융합을 위해 각 원칙에서의 주요 활동을 어떻게 스마트팩토리로 구현하고 있는지 군데군데 사례와 함께 필자의 통찰을 담았다.

FLOW, PULL, 5S/VM, BIQ, CI는 곧 린의 기본적인 원칙이자 이 책을 관통하는 다섯 가지 주제이다. 우리 자신의 공장을 돌아보고 다섯 가지 원칙을 떠올리며 책의 페이지를 한 장 한 장 넘겨보기 바란다. 이 책을 다 읽고 다섯 가지 원칙을 하나로 연결했을 때 강한 현장에 대한 청사진을 그릴 수 있을 것이다.

이 책은 공장의 오퍼레이션(operation)과 '어떻게 하면 성과(value)를 낼 수 있을까?'를 다루는 책이다. 또한, 필자의 경험을 담은 생생한 산업현장의 기록이다. 복잡하고 어려운 린 사상을 쉽게 설명하고 필자가 수행한 프로젝트와 접목해서 풀어나갔다. 린 방식을 다루는 기존의 경영서에서는 찾아보기 어려운 시도라고 자부한다.

가능한 술술 읽히고 쉽게 이해되도록 집필하려 노력했지만 소재 자체가 딱딱한 내용이라 한계가 있다. 철판이나 기계를 다루는 공장 이야기라 표현이 다소 거칠고 투박하다. 또한 혁신을 이야기하기에 '(무엇) 해야 한다.'는 표현이 많아 잔소리처럼 들릴 수도 있겠다. 너그러이 양해를 바란다.

늘 그렇듯이 독자에게 드리는 것보다 필자가 얻어가는 것이 더 많아 부끄럽고 송구하다. 만약 내용에 오류나 난해한 부분이 있다면 그것은 전적으로 필자의 책임이다. 독자의 이해력을 탓하지 말고 필력이 약한 필자를 원망하기 바란다.

이 책은 특히 제조업을 이끌어가는 경영자와 임직원들에게 도움이 되었으면 하는 마음이다. 그들이 공감하고 고민해서 실천해야 할 내용을 담았기 때문이다. 제조업 취업을 준비하는 구직자들, ERP·MES 등 스마트팩토리 솔루션을 구축해주는 SI/IT 종사자들,

제조업 지원 정책을 수립하는 정부 관계자들에게도 나름의 참고가 될 것이다. 책을 읽고 단순히 교양이나 지식을 쌓는 일에 그치지 않았으면 하는 것이 필자의 소소한 바람이다. 제조업에 몸담고 있는 독자라면 필자가 소개하는 생산의 5대 원칙을 철칙(鐵則)으로 삼길 바란다. 하나라도 실행해보고 성과를 내서 독자와 독자가 속해 있는 조직이 퀀텀 점프(quantum jump)하기를 바란다.

저자 김광호

목차

1장. 강한 현장의 생산 원칙

변화하는 기업환경

"시장은 무서운 속도로 변하고 있으며, 더 무서운 속도로 경쟁자가 등장한다. 잠시 방심한 틈에 기업은 그간 쌓아온 공로가 무색할 정도로 순식간에 무너지게 된다. 이 때문에 크게 성공한 기업은 많아도, 장기간 명맥을 이어가는 기업은 드문 것이다. 지식이 부족해서 실패했다고 말하는 리더는 많지 않다. 오만했기 때문에 실패한 것이다. 성공은 어떻게 보면 실패에 대한 '잠재적 경고'라고 볼 수 있다." 실패학의 대가 시드니 핑켈스타인(Sydney Finkelstein) 교수는 이렇게 말했다. "내 방식은 이미 시장에서 통했어!"라고 성공에 도취하는 순간 실패의 길을 걷는다. 지금 잘나가는 기업도 한순간에 무너질 수 있음을 말한다.

우리나라의 경제구조를 보면 국내총생산(GDP)에서 제조업이 차지하는 비중이 30% 가까이 된다. 이는 선진국뿐만 아니라 전 세계적으로도 매우 예외적인 현상이다. 대부분의 선진국에서 제조업 비중은 10%를 조금 웃도는 수준이다. 제조업 강국이라는 국가라 해봤자 20% 수준에 머물러 있다. 2020년 기획재정부 발표에 따르면 한국의 국내총생산(GDP) 대비 제조업 비중은 27.8%(2021년 25%)로 우리와 유사한 구조를 가진 독일(21.6%), 일본(20.8%)보다도 높고 미국(11.6%), 영국(9.6%)과는 격차가 크다.

우리는 선진국에 비해 제조업 비중이 높고 서비스업 비중이 낮은 경제구조를 가지고 있다. 선진국들이 제조업 비중이 줄어들고 서비스업 비중이 커진 것은 그들이 원해서 그렇게 된 것은 아니다. 과거 세계 제조업을 석권했던 선진국들이 신흥 개발국들과의 경쟁에서 밀려 제조업이 위축되면서 어쩔 수 없이 서비스업 비중이 커진 것으로 이해해야 할 것이다.

우리 경제는 고도 성장기를 지나 2000년 이후엔 과거에 비해 성장률이 크게 둔화되었다. 비록 성장이 둔화되었다고 하지만 꾸준히 성장세를 지속해온 것은 제조업 덕분이라 생각한다. 그렇지만 우리도 다른 선진국들이 그랬던 것처럼 제조업에서의 경쟁력을 유지하는 것은 점점 어려워질 것이다.

기업환경은 해가 갈수록 녹록지 않다. 세계화 추세, 경쟁의 격화, 기술 선점, 4차 산업혁명이 키워드다. 생산의 현지화, 기술의 양극화, 스마트공장 구축경쟁 등 만만치 않은 대내외 경영 환경이 기업들을 기다리고 있다. 세계 제조업 순위를 보면 2019년 기준으로 한국은 중국, 미국, 독일, 일본, 인도 등에 이어 5위다. 한국은 지난

2010년 3위였으나 2013년 5위로 밀려난 이후 2018년까지 제자리 걸음을 하다 2019년에 인도에게 밀려 6위로 떨어졌다. (출처 : United Nations Statistics Division)

중국, 미국, 독일, 일본 등의 제조업 혁신과 진흥 노력은 필사적이다. 중국은 제조업 대국에서 제조업 강국으로의 도약을 꿈꾸며 '중국제조 2025'를 추진하고 있다. 2025년까지 제조업을 독일, 일본 수준으로 향상시키고, 2049년 미국을 넘어 세계 제1위 제조국이 목표다.

독일은 딜로이트의 2010년 글로벌 경쟁력 지수에서 8위를 기록한 것에 충격을 받아 2011년 제조업 혁신 방안인 'Industry 4.0'을 수립했다. 기존 제조업에서 축적된 노하우를 ICT와 결합하고, 사물인터넷(IoT)과 로봇을 중심으로 한 제조업 혁신 등 관련 정책을 추진했다. 이후 독일은 3위로 순위가 껑충 뛰었다.

일본은 '개혁 2020 프로젝트'를 내걸고 자율주행 기술, 수소 자동차, 첨단 로봇, 의료 서비스 등 6대 프로젝트 산업을 육성키로 했다.

한국의 제조업 진흥 정책은 거의 없다시피 한 현실이었다. 일부 제조업 진흥 정책을 내고 있었지만 구호에 그치는 데다, 4차 산업 혁명에 대비한 신성장 방안도 규제에 막혀 가시적인 성과는 미미하였다. 2019년 6월, 정부는 '세계 4대 제조강국 도약'을 목표로 하는 '제조업 르네상스 비전'을 선포하고 2022년까지 스마트공장 3만개 보급을 추진하고 있지만 그 근본 취지에 맞게 진행되고 있는지는 의문이다.

● 스마트팩토리가 성공하려면 일하는 방식이 스마트해져야 한다.

한국의 대다수 기업은 제조업 위기를 극복하고 생존을 위한 경쟁력을 확보하기 위해 스마트팩토리 구축에 많은 관심을 갖고 이를 적극적으로 추진하고 있다. 하지만 '급히 먹는 밥이 목이 멘다.'는 속담이 있다. 의욕적으로 투자하고 추진해온 스마트팩토리 사업이 기대에 미치지 못하는 경우가 종종 나타나고 있다. 제조역량의 최적화, 고도화라는 체질 변화 없이 성급하게 스마트팩토리 사업을 도모한 결과라 생각한다.

스마트팩토리 보급과 관련된 국가의 지원 사업이 넘쳐난다. 중소기업 경영자들 사이에는 "정부 돈은 눈먼 돈, 못 찾아 먹으면 바보!" "내 돈으로 설비사면 바보!"라는 말이 회자될 지경이다. 스마트팩토리는 자동화 설비 들여오면 되는 것으로 인식한다. "스마트팩토리는 공장자동화와 별반 다를 게 없다."라고 오해하고 있다. 물론 스마트팩토리는 과거부터 존재한 공장자동화의 연장선에 있는 개념이다. 생산시설을 무인화하고 관리를 자동화한다는 공통점이 있다. 자동화도 스마트팩토리에서는 필요하다. 하지만 단순히 자동화한다고 스마트해지는 건 아니다.

스마트팩토리와 공장자동화의 차이점은 무엇일까? 스마트팩토리는 전후 공정간 데이터를 자유롭게 연계할 수 있어 총체적인 관점에서 최적화를 이룰 수 있다. 하지만 공장자동화는 단위 공정별로만 최적화가 이뤄져 전체 공정이 유기적이라고 보기 어렵다. 스마트팩토리의 핵심은 '자동화'에서 한 단계 진화한 '디지털화'다. 단순히 사람의 노동력을 대체하는 공장자동화에서 한발 더 나아간다. 센서와 기기들로부터 축적된 정보, 즉 빅데이터를 바탕으로 공장 스스로 공정 최적화나 생산계획 수립과 같은 '최적의 의사결정을 내릴 수 있게 하는 것'이 최종 목적이다.

스마트팩토리 구축을 위해 많이 도입하는 시스템이 MES(Manufacturing Execution System, 제조실행시스템)이다. 비용도 만만치 않다. 비싼 돈 들여 MES만 도입하면 스마트해질 거란 생각은 착각이다. MES 도입해서 성공하려면 사전에 갖추어야 할 사항이 많다. BOM(Bill Of Material, 자재명세서) 정비는 물론, 공정 라우팅(routing) 정비도 필요하다. 표준시간도 설정되지 않았는데 MES 도입하려고 한다. 무기도 없는데 전쟁터 나가는 꼴이다.

MES 개발자들은 "표준시간 없어도 시스템 도입은 가능합니다."라고 말한다. 기준정보에서 제외하고 운영해도 시스템은 돌아가기 때문이다. 생산성을 측정하려면 표준시간 설정이 필수다. 표준시간 없이 MES 도입한다면 생산성 관리는 포기한다는 의미다. 키오스크(KIOSK) 단말기로 작업에 대한 시종(始終, start-end)관리만 진행해서 생산실적 집계만 하겠다는 의도다. 이제는 작업일보 안 써서 좋다고 말한다. 종이만 없앤다고(paperless) 공장이 스마트해지지는 않는다.

MES를 도입했다 하더라도 작업자 의식이 부족한 공장에서는 잘 돌아가지 않는다. 작업일보도 제대로 안 쓰는 현장이 단말기나 터치스크린으로는 실적을 잘 입력할 것 같은가. 작업자에게 "왜 입력 안 했습니까?" 하고 물어보면 이런 답이 돌아온다.

"저는 컴퓨터랑 안 친해서, 단말기 사용이 어렵습니다."

"이건 불편합니다. 예전처럼 작업일보 쓰는 게 더 편합니다."

"노안이 와서, 모니터 보면 침침합니다."

생산 현장의 조작 회피에 아주 답답하다 못해 숨이 막힌다.

스마트팩토리를 추진하는 기업은 사전 PI(Process Innovation, 프로세스 혁신)를 충실히 진행해 성공확률을 높여야 한다. '터' 다지기, 기초공사가 잘된 상태에서 스마트팩토리를 도입해야 성과가 난다. 공장 5S도 제대로 안 돼 있어 물건 하나 찾으려면 하세월이고, 라인 재공이 넘쳐나 리드타임은 길고, 불량문제 해결하느라 정신없이 뛰어다니는, 그런 낭비 많은 공장에서는 현장 개선부터 진행하는 것이 정답이다. MES는 현장이 어느 정도 정비된 후에 도입해도 늦지 않다. 100m 달리기 경주하는 것이 아니기 때문이다.

국가지원 사업은 '퍼주기' 대신 경쟁을 조성하고, 기업의 실질적인 경쟁력 향상이 되려면 지원은 어떤 방식이어야 하는지 충분한 고민이 필요하다. 동시에 기업은 스마트팩토리를 구축하려면 "어떻게 스마트해질 것인가?" "어떻게 일해야 스마트한가?"부터 고민하기 바란다. 일하는 방식이 바뀌지 않으면 성과는 기대하기 힘들다.

기업은 잘 대응하고 있는가?

"혁신은 리더와 추종자를 구분하는 잣대다." 스티브 잡스는 이런 말을 남겼다. 그는 원하는 일을 찾을 때까지 안주하지 말고 계속 찾으라 말했다. 기업의 사장은 항상 혁신에 목마르다. '무엇을 혁신할 것인가' '어떻게 혁신할 것인가' 늘 고민하는 자리가 사장의 자리다. 돈으로 행복을 살 수 없듯이 혁신도 돈으로 살 수는 없다. 공짜가 없다는 말이다. 끊임없이 고민하고, 실행하고, 실패해도 다시 일어서야 하고, 저항과 맞서 싸워야 한다.

기업의 혁신이 어제오늘의 일만은 아니다. 지금도 진행형이지만 여전히 부정적이고 회의적인 마음이 기업의 혁신을 방해한다.

"나하고는 관계없습니다." (그걸 왜 내가?)

"도움이 안 됩니다." (다 해봤다!)

"그건 사장이나 팀장이 할 일입니다." (나한테 뭐라 하지 마라!)

“알지만 시간이 없습니다.” (바빠 죽겠는데……)

“혼란스럽습니다.” (뭐가 중요한데?)

혁신의 길에서 가장 처음에 맞는 벽이 ‘인식의 벽’이다. 본인은 “이것이 문제입니다.”라고 말하지만 옆에서는 “그것이 왜 문제입니까?”라고 말한다. 똑같은 문제도 사람에 따라 다르게 느끼기 때문이다. 혁신하기 위해서는 먼저 조직원 모두가 문제를 같이 인식하는 것부터 시작해야 한다. 우리 주위에는 두 가지 부류의 사람이 있다. 문제를 보려고 하는 사람과 문제를 보지 않으려고 하는 사람이다. 마음에 없으면 눈에 보이지 않는다. 조직원이 냉철한 문제의식을 가져야 하는 이유다.

안으로는 변화에 저항하는 세력과 맞서야 하고 밖으로는 악화되는 기업환경과 싸워야 한다. 2020년 초 코로나19(COVID-19)로 전 세계는 팬데믹(pandemic)에 빠졌다. 예상치 못한 질병, 예상은 했지만 대응이 안 되는 규제들, 여러모로 ‘기업하기’ 참 어려운 시절이다.

고객사에서는 계속 원가절감 들어오는데 최저 임금 인상으로 인건비 부담은 가중된다. ‘워라밸(work-life balance)’이라는 신조어까지 만들어가며 국가는 주 52시간 법정 근로시간을 지키라 하지만 직원들은 잔업 없어져 월급 줄어든다고 불평한다. 사상 최대의 실업률이라고 하지만 정작 사람 한 명 뽑을라치면 구직자들 그림자조차 보기 힘들다. 괜찮은 인재들은 대기업이 다 뽑아가거나 공무원 준비하느라 바쁘다. 행여나 중소기업에 입사한 신입사원은 3개월 다녔더니 어머니가 그만두란다. 애지중지 키운 외아들, 그 월급 받고 고생하느니 차라리 집에서 쉬란다. 기업하기 참 힘들다. 폐업하고 싶은 마음이 하루에도 몇 번씩 든다. 하지만 이내 마음을 접는다. 가족 같은 직원들 얼굴이 떠올라서다.

이른바 인더스트리 4.0 시대다. 국가는 스마트팩토리(smart factory) 보급을 위해 막대한 자금을 지원하고 있다. 기업 사장님들은 앞다투어 자동화 설비 도입에 열을 올린다. 비싼 돈 들여 MES를 도입했지만 도무지 돌아가지 않는다. 현장에서는 불편하다고 안 쓰고, 데스크에서는 현장에서 도와주지 않는다고 불평한다. 스마트한 팩토리가 되려면 일하는 방식부터 스마트해져야 한다.

기업진단을 가보면 매출액이 급성장한 기업들을 종종 본다. 대부분 가파른 매출 상승곡선에 비해 영업이익은 둔화돼 하향추세를 보인다. 소위 '성장통'을 겪고 있는 것이다. 창업하고 직원이 20~30명 될 때까지는 누가 무엇을 하고 있는지 훤히 보인다. 매출이 증가하면서 사람 한두 명씩 충원하다 보니 '우리 직원이 이렇게 많았나?' 싶을 정도가 되었다. 누가 무슨 일을 하는지 도무지 보이질 않는다. 여기저기서 경력직을 뽑았더니 각자 자기 방식이 옳다고 싸운다. 무엇부터 손을 댈지 갈피를 잡기가 힘들다. 성장통의 흔한 모습이다.

국내 기업환경은 계속 '악화일로(惡化一路)'다. 20년 장기침체로 저성장이 지속되고, 경제구조 양극화는 갈수록 심해지고 있다. 미래 성장 동력이 불확실하고, 고용과 취업 등 사회적 문제가 대두되고 있다. 최근에는 최저 임금 인상, 주 52시간 법정 근로, 퇴직연령 증가로 변화에 적극 대응하지 않으면 기업하기 어려운 실정이다.

"우리가 언제 좋았던 적이 있었습니까?"

필자와 오랫동안 알고 지낸 어느 사장님이 말했다. 나빠진 경제 환경에 대한 푸념 섞인 말이다.

최저임금 1만 원 시대다. 제조업체는 감당하기 점점 힘들다. 임금이 오르면 제조원가에서 차지하는 인건비 비중이 높아져 고정비가 올라간다. 대기업에 납품하는 업체가 "정부 정책으로 최저임금이 많이 올랐습니다. 납품가를 좀 올려주세요."라고 앓는 소리 하면 대기업은 어떻게 반응할까? "아, 네. 많이 힘드시겠어요. 얼마를 올려 드릴까요?"라고 답하는 대기업은 아마 이 지구상에 없을 것이다. 단가인상은 꿈도 못 꾼다. 오히려 해마다 실시하는 CR(Cost Reduction, 단가인하)이 더 강화되는 추세다. 그들도 치열한 시장에서 가격 경쟁하려면 어쩔 수 없기 때문이다.

최저임금 인상에 따른 의외의 부작용도 있다. 신규로 들어온 작업자 월급이 장기 근속한 작업자 월급하고 비슷해졌다. "아니, 어떻게 지난달에 들어온 사람보다 제 월급이 더 작습니까?" 현장에서 10년 이상 근무한 사람의 불평이다. 자기도 월급 올려달란다. 사장님은 고민에 밤잠을 설친다.

2021년부터 50인 이상의 중소기업도 주 52시간 법정 근로를 준수해야 한다. 사회는 '워라밸' '저녁이 있는 삶'하며 분위기를 만들어가지만, 정작 기업은 죽을 맛이다. 지금 인력으로 주 52시간을 지키며 일하려면 직원을 더 뽑아야 하는 상황이다. 주 52시간 근무제를 통해 정부는 "생산성을 높여 일과 삶의 균형을 이루자!"고 말한다. 하지만 그 이면에는 기업이 사람을 더 많이 고용해 고용상황을 개선코자 하는 의도가 깔려 있다. 하지만 기업하는 사장님 입장에서는 인력충원이 그리 쉽게 생각할 일이 아니다. 최저 임금도 오른 탓에 인력이 늘면 고정비 부담도 같이 늘어나기 때문이다.

주 52시간 근무에 따른 의외의 부작용이 있다. 주 52시간을 맞추기 위해 잔업과 특근을 줄이니 작업자들 월급이 줄었다. 기본급이 워낙 박하기에 잔업과 특근 좀 힘들게 하면 그나마 두둑이 가져갔던 월급이었다. 잔업이 없어지니 작업자들이 한두 명씩 나간다고 한다. 월급이 너무 작아 먹고살기 힘들다고 푸념한다.

4차 산업혁명 시대라 여기저기서 스마트팩토리 한다고 유행이다. 정부가 4차 산업혁명 대응을 위해 다양한 정책을 실시하고 있지만, 중소기업 현장의 인식과 대응 수준은 기대에 못 미치고 있다.

『2019년 중소기업중앙회에서는 300개 중소기업을 대상으로 4차 산업혁명 내용 인지에 대한 조사를 벌였다. 4차 산업혁명 인식에 대한 조사 결과, '알고 있는 편'이 36.3%, '모르는 편'이 63.7%로 과반수 이상이 4차 산업혁명에 대한 인식을 하지 못하고 있었다. (중략) 중소기업의 4차 산업혁명 대응 수준은 0단계에서 4단계로 나눌 수 있다. 현재 대응 수준은 '0단계'가 63.7%, '1단계'는 25%, '2단계'가 5.7%, '3단계 이상'이 5.7% 순이며, 평균은 0.5단계로 조사됐다. (이하 생략)』(출처: 《이뉴스코리아》, 2019/11/11)

참고로 대응 '1단계'의 정의는 '4차 산업혁명의 의미와 관련 기술만 알고 있다.'이다. 국내 기업의 약 70%가 대응 못 하고 있는 것으로 생각한다.

"사촌이 땅을 사면 배가 아프다."는 속담이 있다. 우리나라 사람은 욕심이 많아서 남들 하는 건 다 하고 살아야 한다. 주위에 온통 스마트팩토리 이야기가 넘쳐나니, 이거 하기도 그렇고 안 하기도 그렇다. 안 하려니 시대에 뒤처지는 것 같아 찜찜하고, 하자니 어떻게 할지 몰라 안타깝다.

《90년생이 온다》라는 책을 재미있게 읽은 기억이 있다. '문재인 전 대통령이 청와대 전 직원에게 선물한 책'으로 유명해져 베스트셀러가 된 책이다. 업체에 프로젝트를 하러 들어가면 카운터파트너들이 점점 젊어지고 있음을 실감한다. 세대의 변화와 90년대 생을 이해하려는 노력이 필요하다 생각했다. 책에서는 90년대 생이 왜 대기업과 공무원 시험에 올인 하는지 잘 설명하고 있다.

90년대 생은 작금의 기업들이 경력 위주의 입사만 고집해 취업이 어렵다. 어렵게 취업해도 상시 구조조정과 정규직의 비정규직화 추세라 언제 잘릴지 모른다. 그러니 안정적인 공무원이나 잘릴 위험이 덜한 대기업으로 몰린다. 물론 연봉도 한몫한다. 공무원은 초봉이 박하지만, 정년까지 일한다고 가정했을 때 대기업보다 받는 임금이 더 많다고 하지 않나.

꼰대 이야기도 나온다. '세대별 충성의 대상' 차이가 유난히 기억에 남는다. 회사에 대한 충성의 대가는 무엇이냐고 물었다. 70년대 생은 '회사에 대한 충성은 곧 나에 대한 충성'으로 생각한다. 80년대 생은 '몸값과 승진 보장'을 대가로 생각한다. 90년대 생은 '회사에 헌신하면 헌신짝이 된다.'고 생각한다. 이렇게 변한 세대 차이를 90년대 생의 탓으로만 볼 수 없다. 기성세대의 잘못이 크다고 생각한다.

한국 청년의 대학 진학률은 70%를 웃돈다. 10년째 OECD 1위다. 다들 대학을 나오다 보니 좋은 환경과 높은 연봉을 주는 대기업만을 선호한다. 하지만 대기업은 인재가 넘쳐나는 포화상태여서 그들을 제대로 채용하지 못하고 있다. 그와 반대로 고학력 젊은이들이 3D 직장을 회피하는 바람에 유망한 중소기업들은 일할 사람이 없어서 오히려 심각한 위기에 빠져 있다. 부득이 그 자리를 외국인 노동자들이 대신하고 있다.

"사장님! 요즘 뭐가 제일 힘듭니까?" 필자가 물었다.

"사람 뽑는 게 제일 힘들지요!" 한숨을 쉬며 말한다.

"중소기업에는 도무지 들어오려 하지 않습니다."라고 대부분 말을 이어간다.

신종 '9988'이 회자된다고 한다. 익숙한 무병장수 덕담 '99세까지 팔팔하게 살다가 죽자'라는 뜻이 아니다. 우리나라 기업 수의 99%, 고용의 88%를 차지하는 중소기업의 중요성을 강조하는 말이다. 중소기업의 경쟁력이 높아져야 한다. 경쟁력을 갖추려면 훌륭한 인재는 필수다. 훌륭한 인재는 대기업에 다 뺏기기 때문에 성실한 사람이면 된다고 말한다. 키워서 쓰면 되기 때문이다. 하지만 뽑아 놓으면 얼마 못 가 퇴사한다.

최저임금 인상, 주 52시간 법정근무, 4차 산업혁명 등 기업환경 변화에 잘 대응하고 있는 기업이 있는 반면, 아직도 어떻게 대응할지 발만 동동 굴리고 있는 업체도 수두룩하다. 슬기롭게 극복하고 있는 기업 사례를 하나 소개한다.

필자가 2016년에 지도한 S사는 인천 남동공단에 위치한 모듈 업체다. '가공→제관(용접)→도장→조립→출하' 순서로 공정을 진행해 대기업으로 납품한다. 약 70명의 인원이 근무하며 매출액은 150억 정도다.

처음 들어갔을 시점에 대표이사는 해마다 적자라며 수심이 가득했다. 그렇다고 비즈니스가 안 되는 건 아니었다. 물량이 받쳐줘서 일감도 많았다. 대기업에 하루에도 몇 번씩 시간대별로 순위납품을 해야 하기에 잔업과 특근이 일상이었다. 잔업, 특근이 많으면 인건비가 올라 남는 게 별로 없다. 용접공정과 도장공정은 대부분 외국인 근로자거나, 50세가 훌쩍 넘은 장년 근로자가 많았다. 그러다 보니 인력 유동이 많아 회사는 늘 사람문제로 골머리를 썩었다.

주 52시간 근무제가 공표되면서 위기감을 느낀 대표이사는 만성적자를 벗어날 대책을 강구했다.

"우리 회사에 잔업과 특근은 이제 없습니다. 어떻게 해서든 일과 중에 생산 마치고 정시 퇴근합니다. 잔업, 특근 못 해서 생기는 임금 손실은 일정 부분을 회사가 부담하겠습니다."

대표이사가 전 직원에게 공언한 메시지다. 처음에는 직원들 동요가 컸다. 몇 명은 불만을 토로하며 퇴사하기도 했다. 휴일근무는 모기업이 조업하면 같이 일하고, 휴무하면 같이 쉬었다. 철저히 고객사 일정과 근무시간에 맞춰 움직였다. 지금은 완전히 정착되어 주 52시간 잘 지켜지고 있다. 무엇보다도 잔업, 특근을 없애니 만성적자가 흑자로 전환됐다. 사장님 얼굴에 화색이 만연하다.

작업자의 빈번한 이직 문제는 '자동화'로 극복했다.

"스마트팩토리 시대에 맞추어 자동화 설비를 도입하면, 사람 때문에 고생하는 일은 없어지겠다 싶었습니다."

대표이사의 말이다. 2020년에 먼저 도장 자동화 설비를 도입해 외국인 작업자를 최소 인원만 남겨두고 모두 뺐다. 요즘은 자동화 기술이 좋아 도장품질도 만족스럽게 나온다. 도장 자동화 추진의 성공이 자신감을 불러왔다. 2021년에는 용접 자동화와 MES 도입 추진을 확정했다. "절실하니깐 또 어찌 되더라고요. 요즘엔 두 발 뻗고 편하게 잡니다." 필자는 MES 도입을 위해 PI를 지원해주기로 약속했다.

측정할 수 없으면 개선할 수 없다

"내게 나무를 벨 시간이 8시간 주어진다면, 그중 6시간은 도끼를 가는데 쓰겠다." 미국의 16대 대통령 에이브러햄 링컨이 한 말이다. 1시간 중 45분이라는 말도 있지만 의미는 비슷하다. 전체 시간의 7할 이상을 '준비'하는데 쓴다는 것이다. 본격적으로 일하기 전에 생산성을 높이기 위해 준비하는 시간을 갖는다는 것이 핵심이다. 열심히만 일한다고 생산성이 올라가지 않는다. 현명하고 슬기롭게 일해야 한다. "Working Smarter, Not Harder!"

'생산'이란 인간이 생활하는데 필요한 모든 것을 만들어내는 활동이다. 가치를 지닌 재화나 서비스가 산출되는 '과정(process)'을 말한다. '프로세스'는 기업이 이용 가능한 생산자원인 인간, 원자재, 정보, 기계설비를 유효하게 활용해 제품이나 서비스로 바꾸는 변환 과정이다.

생산에 투입하는 4M(사람, 기계, 재료, 공법)을 경제적으로 활용하고 효율적으로 운용해서 고객이 요구하는 적정의 제품(Quality)을 보다 싼 가격(Cost)으로 소정의 시일(Delivery)까지 만들어 납품하는 것이 생산의 본질이다. 효율적으로 운용한다는 것은 구체적으로 생산관리, 품질관리, 자재관리, 작업관리, 설비관리 등의 활동을 말한다. 이 활동을 어떻게 하느냐에 따라 생산성이 좌우된다.

'생산성'이란 제품 생산이나 서비스 제공에 있어 얼마만큼의 산출이 이루어졌는지를 나타내는 지표다. '투입(input) 대비 산출(output)의 비율'이 생산성이다. 즉, 생산에 투입한 것에 비해 '얼마만큼의 성과가 이루어졌는가?'를 나타낸다. 투입(분모)은 줄이고 산출(분자)을 늘리면 생산성은 올라가게 되어 있다.

생산성 개념은 제2차 세계대전 이후 영국 수상 윈스턴 처칠에 의해 대두되었다. 전쟁에서 승리했지만 국민 생활이 어려워졌고, '전쟁이 지속된다면 감당할 수 있을까?'하는 위기의식이 생겼다. "보다 더 많은 빵과 보다 더 많은 대포 생산을!"이라는 슬로건을 제시했다. 투입 대비 산출 비율을 최대한 높이자는 생산성 개념을 도입했다. 전후(戰後) 경제 재건을 목적으로 유럽 국가들에 의해 본격적으로 확산되었다.

생산성을 향상시키는 방법에 정답은 없다. '절약형'은 인풋을 줄이면서 아웃풋을 일정하게 유지하는 방법이다. '합리적 효율형'은 인풋을 일정하게 유지하면서 아웃풋을 늘리는 방법이다. '이론적 희망형'은 인풋을 줄이고 아웃풋을 늘리는 방법이다. '축소경영형'은 인풋을 대폭 줄이면서 아웃풋도 줄이는 방법이다. '확대 재생산형'

은 인풋을 줄이면서 아웃풋을 대폭 늘리는 방법이다. 제품의 수명주기나 기업이 처한 상황에 따라 전략을 유연하게 취할 수 있다.

생산성을 관리하는 목적은 조직의 기본적인 목표 성취 정도를 파악하기 위해서다. 임금인상과 상여금을 지급하는 기준이 된다. 다른 기업, 산업, 국가와 비교해 볼 수도 있다. 장기간 생산성 성과를 모니터링하면 하락, 정체 또는 성장 등 경향을 읽을 수 있다.

우리나라의 생산성이 낮다는 기사는 뉴스의 단골 메뉴다. 시간당 노동생산성은 OECD 36개 회원국 평균에도 미치지 못하며 하위권을 맴돈다. 시간당 노동생산성은 국내총생산(GDP)을 전체 근로시간으로 나눈 것이다. GDP(분자)가 높아도 노동투입량(분모)이 더 높아 생산성을 다 갉아먹는다. 2021년 기준으로 OECD 국가의 연평균 노동시간은 1716시간이며, 우리나라는 1915시간으로 최하위 수준이다. 독일이 1349시간으로 가장 짧게 일한다. 월평균 20일, 하루 8시간 기준으로 환산해보면 우리나라 국민이 독일 국민에 비해 3.5개월 이상 더 일한다고 볼 수 있다.

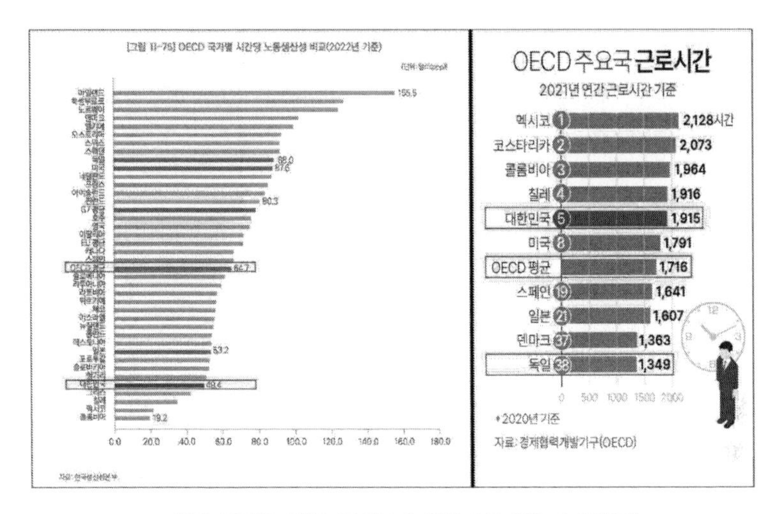

● **한국 국민은 독일 국민보다 연간 3.5개월 더 일한다.**

생산성은 효율성(efficiency)과 함께 효과성(effectiveness)을 추구한다. 효율성은 '최소의 투입으로 최대의 산출'을 지향하는 양적 측면이다. 효과성은 '원하는 목표에 얼마나 도달했는가?'라는 질적 측면이다. 예를 들어 생산 현장에서 제품 생산량이 1인당 10개에서 20개로 증가했지만 성능과 품질이 저하돼 소비자에게 만족을 주지 못했다면, 효율성은 상승했으나 효과성은 저하됐다고 보는 시각이다.

무엇을 주력으로 투입했느냐에 따라 생산성의 명칭이 달라진다. 설비 중심 업종은 '설비생산성', 작업자 중심 업종은 '노동생산성'이 중요하다. 수율(yield)이 중요한 연속흐름 업종은 '자재생산성'이 중요하다. 종합생산성을 보기 위해 금액 중심의 '부가가치생산성'을 따지기도 한다. 부가가치생산성은 종업원 1인당(또는 시간당) 부가

가치를 얼마나 산출했는지 판단하는 지표다. 부가가치는 매출액에서 재료비와 기타경비를 차감해 계산한다.

지금부터는 제조업에서 기본이 되는 개별 생산성 측정의 두 가지 방식을 알아볼 것이다. 기본이라고는 하지만 소규모 공장에서는 관리력 부재로 아예 측정하지 못하는 곳도 많다. 심지어 개념조차 이해하지 못하는 곳도 있다. 규모가 있고 관리력이 있는 공장이라도 실제 개념과 측정방식을 정확히 이해하고 있는 직원들이 의외로 많지 않다. 사원이나 대리급의 주니어(junior) 시절에 기초 교육을 제대로 받지 못했기 때문이다. 이해가 부족한 상황에서 선배가 관리하던 방식을 그대로 이어받기만 해서 일 수도 있다. 시스템이 측정값을 자동으로 제공해주니 해석하고 보고(report)는 잘하지만, 실제 손으로 계산해보라고 하면 못한다.

정확한 계산로직을 이해해야 하는 이유가 있다. 측정 목적을 알고 계산로직을 이해하면 잘 보이지 않던 낭비 구조가 명확히 보인다. 예를 들어 '효율이 70%'라는 의미는 30%의 낭비가 있다는 것인데, 이 30%의 구조를 이해해야 개선하기 쉽다. 품질관리의 세계적 권위자인 에드워드 데밍 교수는 "측정 가능한 모든 것을 측정하라. 그리고 측정이 힘든 모든 것을 측정 가능하게 만들어라."라고 말했다. 현대 경영의 구루로 불리는 피터 드러커는 "측정할 수 없다면 관리할 수 없다."라고 말했다. 이 말은 '측정할 수 없으면 개선할 수 없다.'는 말과 똑같다.

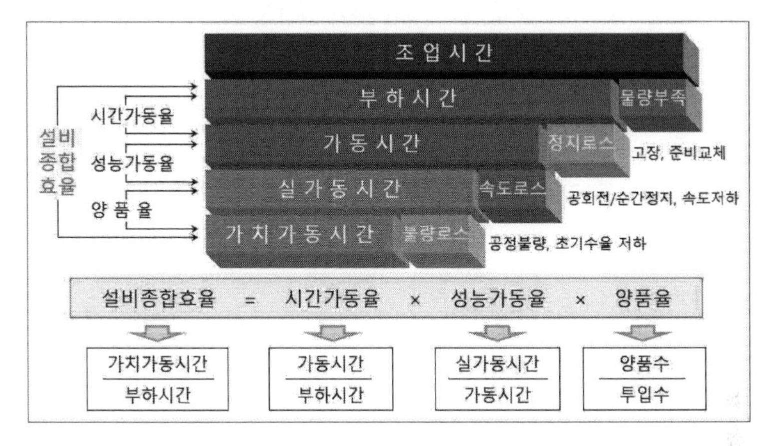

● 설비생산성(설비 Loss), 설비종합효율 계산 Logic

설비 중심의 공장에서는 '설비종합효율'을 관리해야 한다. 설비종합효율은 'OEE'로 부르며 'Overall Equipment Effectiveness'의 약어다. OEE는 규정한 부하시간 중 설비의 고유 성능을 가지고 부가가치를 창출해낸 시간의 비율이다. OEE를 산출하는 로직은 상기 그림과 같다.

가동률(稼働率) 가동률(可動率)의 차이를 아는가? 기업진단을 가서 가동률 관리를 하는지 물어보면 엉뚱한 답변이 오곤 한다.

"사장님! 가동률 관리 하십니까?"

"아, 그렇지 않아도 요즘 가동률이 많이 떨어졌습니다. 물량이 많이 빠지네요!"

이 사장님이 말하는 가동률은 필자가 물어본 가동률이 아니다. 필자는 OEE에서의 시간가동률을 물어봤던 것이다. 사장님이 말하는 가동률은 앞의 '稼働率'이고, 필자가 말하는 가동률은 뒤의 '可動

率'이다. 발음이 동일해 헷갈릴 수 있다. 과거 한국의 제조업은 고도성장을 했고, 그래서 가능하면 공장을 많이 돌려 물건을 많이 생산하려고 했다. 연륜이 많은 사장님은 그래서 가동률(稼働率)을 중요하게 생각한다.

'가동률(稼働率)'이란 생산을 할 수 있는 최대 능력에 대한 실제 생산을 한 비율을 말한다. 작업자나 기계설비의 실제 가동시간과 전체 작업시간의 비율이다. '조업률' 또는 '조업도'라고도 한다. 이것은 공장의 설비를 완전 가동하였을 경우의 생산능력에 대한 실제 생산량의 비율을 나타낸다.

예를 들어 공장을 한 달에 20일 돌릴 능력이 있는데 10일만큼의 주문물량만 있다면 가동률이 50%다. 사장님 입장에서는 비싸게 주고 산 설비가 놀고 있으면 속이 탄다. 현장작업자가 물량이 없어 놀고 있으면 더 속 탄다. 물량이 없어도 설비하고 작업자 놀리기 싫어 물건 만들라고 지시한다. 稼働率이 높아야 한다는 발상은 자칫 대로트로 생산하면 이익이라고 생각하기 쉽다. 낭비로 원가가 올라가는 지름길이다. 고객이 요구하는 만큼만 만들지 않으면 과잉생산의 낭비가 생긴다. 과잉생산의 낭비는 운반의 낭비, 재고의 낭비 등 다른 낭비를 유발한다.

'가동률(可動率)'이란 생산하고 싶을 때 설비, 기계가 정상적으로 움직여주는 비율을 말한다. 기계를 돌리고자 할 때 기계가 정말 잘 돌아갔는지를 의미한다. 공장에서 설비는 가동해야 할 시간에 고장나지 않고 제대로 가동되면 베스트다. 공장에서는 稼動率의 수치가 100%이기보다는 가동시켜야 할 때 가동하는 수치로서 可動率이

100%이기를 바란다. 可動率을 100%로 유지하려면 설비보전 활동이 확실히 되어야 한다.

어느 공장에 가보니 생산관리팀장이 可動率 관리는 안 하고, 稼働率 관리만 하고 있었다. 사장님이 수시로 뽑아오라고 한단다. 문제는 可動率 개념을 모르고 있다는 점이다. 可動率은 앞서 설명한 OEE에서 '시간가동률'에 해당한다. "稼働率이 높으면 사장님이 좋아하고, 可動率이 높으면 생산관리팀장이 좋아한다."로 이해하면 쉽다.

OEE를 저하시키는 요인을 '설비의 6대 로스(loss)'라 부른다. '고장 로스'와 '준비교체·조정 로스'는 시간가동률을 떨어뜨린다. '공회전·순간정지 로스'와 '속도저하 로스'는 성능가동률을 떨어뜨린다. '불량·수정 로스'와 '초기수율 로스'는 양품률을 떨어뜨린다. 역으로 각각의 로스를 줄이면 해당 지표가 좋아진다.

잠깐 퀴즈를 내보겠다. 만약 시간가동률이 90%, 성능가동률이 90%, 양품률이 90%라면 OEE는 얼마일까?

"뭐, 딱 봐도 평균해서 90%네"라고 하면 틀렸다. 정답은 73%다. 90% × 90% × 90% 하면 정확히 72.9% 나온다. OEE는 측정해보면 생각만큼 잘 나오지 않는다. OEE는 85% 이상으로 목표를 잡아야 한다. 85%면 아주 양호한 수준으로 판단한다. OEE 85% 나오려면 시간가동률이 90% 이상, 성능가동률이 95% 이상, 양품률이 99.9% 이상 나와야 한다. 제조업에서 근무하는 독자라면 본인 회사와 한번 비교해보기 바란다. 산업에 따라 달라지겠지만, 일반적으로 OEE를 1% 개선하면 설비유지를 위한 직접비용이 10% 감소한다.

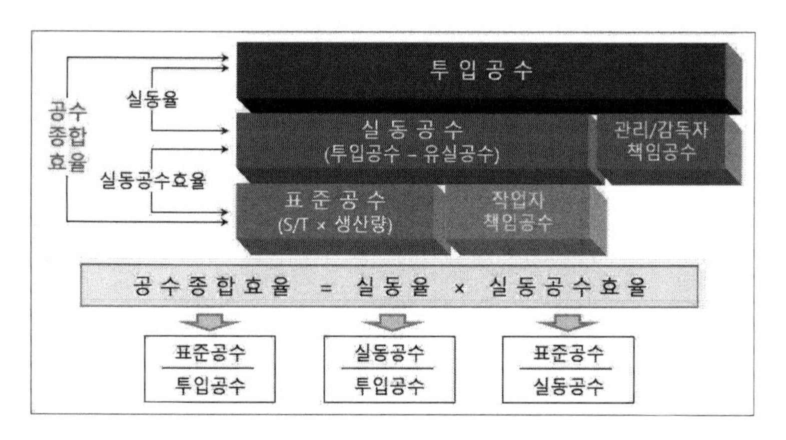

● 노동생산성(인적 Loss), 공수종합효율 계산 Logic

사람(노동) 중심의 공장에서는 '공수종합효율'을 관리해야 한다. 공수종합효율은 'OPE'로 부르며 'Overall Process(People) Effectiveness'의 약어다. '종합공정(인력)효율'로 부르기도 한다. OPE를 산출하는 로직은 상기 그림과 같다.

기업에 가면 OPE 계산에서 흔히 보는 오류가 있다. 실동공수효율이 100%가 넘는 경우가 그것이다. 이는 표준시간이 현재보다 길게 설정되어 있기 때문이다. 기업에서는 작업자 다그쳐서 작업을 빨리해서 그렇게 나온다고 하는데, 이는 잘못된 방법이다. 표준시간의 의미 자체가 '중상급 수준의 작업자가 정상적인 속도로 1개 만드는 시간'이기 때문이다. 빠른 시간 내에 표준시간을 다시 측정하고 기준정보를 변경시켜야 한다.

OPE를 저하시키는 로스는 크게 3개로 정의한다.

첫째, '관리자 로스'이다. 투입공수에서 실동공수를 빼면 된다. 관리감독자가 잘못해서 발생한 유실공수다. 회의, 교육, 돌발 생산계획 변경, 자재품절 또는 대기, 투입자재 불량, 설비고장 등 실제 생산에 투입되지 못한 작업시간의 손실을 말한다.

둘째, '작업자 로스'다. 실동공수에서 표준공수를 빼면 된다. 작업자가 잘못해서 발생한 유실공수다. 작업자 숙련도 부족, 노력 부족, 불량으로 인한 재작업, 일시 대기 등 표준과 실적의 차이에서 나타난다.

셋째, '방법 로스'다. 표준공수에서 가치공수를 빼면 된다. 현재의 작업표준과 작업 단축 목표와의 차이에서 나타난다. 공정의 작업방법 표준이 미흡하면 발생한다.

종합효율관리에서 OEE만 관리해야 하는 공장, 또는 OPE만 관리해야 하는 공장은 없다. 예를 들어 SMT 장비로 PCB를 만드는 전자회사라면 설비 중심의 OEE가 중요하지만, 검사공정을 사람 중심으로 운영한다면 OPE를 관리할 수도 있다. 반대 상황도 있다. 조립라인으로 구성된 완성차 회사라면 사람 중심의 OPE가 중요하지만, 컨베이어나 크레인을 사용한다면 운반 설비의 OEE를 관리할 수도 있다. 중요한 지표가 공장 레벨의 KPI(Key Performance Indicator, 핵심성과지표)로, 덜 중요한 지표가 단위조직 레벨의 KPI가 된다.

생산성 관리는 엑셀로도 충분히 가능하다. 다만 신뢰도 높은 표준시간 정보와 작업일보 작성이 전제조건이다. MES가 도입되어 있으면 시스템에서 직접 조회하고 활용하면 된다. MES를 운영하고 있는 중소기업에 가보면 생산성 관리는 시스템에서 하지 않는 곳이 많다. 그렇다고 엑셀로 관리하는 것도 아니다. 관리체계가 정립되지 않아 MES 도입할 때 장착을 못 시킨 경우다. 먼저 생산성 관리체계를 만들고 시스템화하면 개선에 집중할 수 있다. 스마트하게 일해야 공장이 스마트해진다. 일단 자사의 생산성을 정의하고 스스로 집계하는 것이 스마트의 시작이다.

만드는 방식의 차이가 승패를 가른다

구맹주산(狗猛酒酸). 한비자에 나오는 고사성어다. "개가 사나우면 술이 시어진다."는 뜻이다. 중국 전국시대 송(宋)나라에 술을 만들어 파는 장(莊)씨 성을 가진 사람이 있었다. 그는 술을 만드는 재주가 뛰어났고 손님들에게도 공손히 대접했으며, 항상 양을 속이지 않고 정직하게 팔았다. 그럼에도 불구하고 다른 집보다 술이 잘 팔리지 않았다. 찾아오는 손님이 없어 그가 정성껏 만든 술은 이내 시어 버리기 일쑤였다. 이를 답답하게 여긴 장씨는 동네에서 지혜롭기로 유명한 노인을 찾아가 말했다.

"도대체 저의 집에 손님들이 들지 않는 까닭을 알 수가 없습니다." 그러자 노인이 대답했다.

"자네가 만든 술은 일품이네. 그런데 자네 술집 앞에 개 한 마리가 있지 않은가. 그 개가 너무 사나워 사람들이 가게에 들어서지 못하고, 술 심부름하는 아이들은 멀리 다른 술집으로 찾아가는 것일세."

'개가 사나워 술이 시큼해졌다.'는 이야기를 통해 우리는 무엇을 배울 수 있을까? 원래는 "훌륭한 군주라 하더라도 간신들이 있으면 인재가 모이지 않는다."는 뜻으로 사용되었지만, 필자는 고객 중심 사고의 중요성을 강조하고 싶다. "일이 안 되는(경쟁에서 밀리는, 물건이 안 팔리는) 데에는 그만한 이유가 있다."는 말이다. 말로는 '고객이 중요하다.' '고객이 왕이다.' 해놓고선 조직원들의 일하는 방식과 사고는 정반대다. 습관적으로 안 되는 이유만 장황하게 늘어놓는 기업들이 있다.

"고객이 납기를 너무 짧게 줍니다."

"한 번에 100개씩 만드는데, 10개만 달라는 고객이 있습니다."

"주문해놓고, 사양을 매번 바꿉니다."

"다품종에다, 옵션이 너무 많아 관리하기가 힘듭니다."

"해마다 단가인하 들어와서 못해 먹겠습니다."

고객에게 '이것 때문에 안 된다.' '저것 때문에 어렵다.'라고 계속 말하면 어느 고객이 좋아하겠는가. 사나운 개가 무서워 오지 않는 손님처럼 고객은 하나둘씩 기업 곁을 떠나간다. 조직 내부에 '사나운 개'가 도사리고 있지는 않은지 스스로를 되돌아봐야 한다.

경영의 아버지 피터 드러커는 "고객이 나팔을 불면 기업에 근무하는 모든 사람은 거기에 맞춰 춤을 춰야 한다."라고 말했다. 모든 구성원은 고객을 위한 새로운 각오를 다져야 한다.

『규칙1. 고객은 항상 옳다.

규칙2. 고객이 잘못되었다고 생각되면 '규칙1'을 다시 읽어라.』

어느 회사 로비에 설치된 모니터에서 읽은 문구를 소개한다.

"기업에 전달되는 고객의 목소리는 '항상 옳다.' 고객의 불편은 고객의 오해에서 비롯되는 것이 아니라 분명하게 기업의 잘못에서 오는 것이다."

그 회사 대표이사의 경영철학이었다. 직원들이 항상 이런 마인드로 일을 한다면 이 회사는 분명 위기가 없을 것이라 생각했다.

하루가 멀다 하고 삶을 편하게 만드는 제품들이 쏟아져 나온다. '저렇게까지 굳이 할 필요가 있을까?' 싶은 기발한 아이디어 제품들도 많다. 가격 경쟁은 끝이 보이지 않는다. 죽기 아니면 살기다. 같이 죽자고 덤비는 것 같다. 그렇다고 원가절감을 포기할 수도 없는 상황이다. 오히려 원가절감은 더욱더 중요한 경영 화두로 자리 잡고 있다. 기업의 매출액 증가세는 갈수록 둔화되고 원재룟값은 계속 오르는 현실에서 한 푼이라도 아껴야 하는 절박한 상황에 봉착했기 때문이다. 거꾸로 매출을 증가시키는 것보다는 원가를 절감하는 것이 기업의 수익성 개선에 훨씬 더 효과적이다. 기업들이 원가절감에 더욱 공을 들이는 이유다.

원가절감은 어떻게 할 수 있을까? 제조원가는 재료비, 노무비(인건비)와 제조경비의 합으로 구성된다. 시장에 경쟁자가 없는 독점제품이 아니라면 제조원가를 낮춰야 가격 경쟁에서 이길 수 있다. 인건비 줄이기 쉽지 않다. 오히려 최저임금 인상으로 인건비 부담이 가중된다. 재료비는 또 어떤가? 웬만한 가격들은 인터넷을 통해 모두 오픈되어 있다. 우리에게만 싸게 주지 않는다. 한꺼번에 많이 사면 조금은 저렴하게 살 수 있다고 하지만 그러면 재고비용이 증가한다. 경비 안 쓰고 공장 돌릴 수 있는가? 공장 전기세도 내야 하고, 공장 월 임차료, 건물 화재 보험료도 내야 한다. 아낀다고 아껴보지만 티도 안 난다. 결국 '만드는 방식의 차이'가 승패를 가른다. 로스는 원가를 잡아먹는 식충이다. 로스라는 식충을 제거해야 남들보다 싸게 물건을 만들 수 있다.

많은 기업이 어떻게 하면 남들보다 싸게 물건을 만들 수 있을까를 고민했다. 어찌 보면 기업의 영원한 숙제다. 기업들은 그 해답을 '린(Lean)'에서 찾았다. 현존하는 최고의 생산방식이라 불린다. 린의 탄생을 말하자면 시간을 거슬러 도요타 이야기를 하지 않을 수 없다.

1950년대부터 도요타는 도요타생산방식(Toyota Production System, 이하 TPS라 부른다.)을 고안했다. 세계 경제의 고속 성장에 따른 시장 확대에 맞춰 생활의 질이 향상됨에 따라 품질에 대한 기대가 높아졌다. 우수한 제품만이 소비자의 마음을 사로잡을 것이고, 낮은 품질의 제품은 도태될 것으로 판단했다.

『자동차 부문 1위는 도요타(516억 달러)가 차지했고, 메르세데스-벤츠(493억 달러), BMW(398억 달러), 혼다(127억 달러) 등이 뒤를 이었다. 테슬라가 브랜드 가치 128억 달러로 6위를 차지했다. 작년 5위였던 포드(126억 달러)는 7위로 밀렸다.』 (출처: 《매일경제》, 2020/10/20)

도요타가 세계에서 자동차 1위를 차지한 것은 어제오늘의 일이 아니다. 2007년에 제너럴 모터스의 총 판매 대수를 앞질러 사실상 톱의 자리를 매듭지었다. 일본은 물론 아시아에서도 톱, 세계에서도 생산과 판매 대수는 2012, 2013, 2014년 3년 연속 세계 1위인 자동차 회사다. 도요타는 1937년 후발주자로 자동차 산업에 뛰어들었다. 미국의 당시 자동차 BIG3(포드, GM, 크라이슬러)보다 30년이나 지난 시점이었다.

미국의 자동차 회사들은 시샘과 함께 의문을 품지 않을 수 없었다. "도대체 도요타는 어떻게 물건을 만들기에 우리보다 앞서는 거야?" 미국 MIT 공대 교수들이 주축이 되어 TPS를 연구하기 시작했다. TPS를 본격적으로 실험하기 위해 도요타와 GM은 1984년 미국 캘리포니아에 'NUMMI(New United Motor Manufacturing Incorporated)' 합작 공장을 설립했다. MIT 연구진은 NUMMI 공장에서의 성공을 바탕으로 TPS를 'LEAN'이라고 명명했다. 린은 지난 50년 동안 등장한 최고의 경영 아이디어 중 하나다. 린 생산방식은 하루아침에 탄생한 것이 아니다.

린 생산방식이란 '군살 없는 생산방식', '군더더기 없는 생산방식'이란 뜻이다. 린 생산방식을 한마디로 표현하면 '기업의 낭비를 최소화하는 생산기법이자 경영이념'이다. 재고를 최소화하고 작업 공정을 혁신함으로써 비용은 줄이고 생산성은 높이는 방식이다. 린 방식을 도입하면 원가는 줄고 효율성이 올라가는 반면, 낭비는 감소한다. 린 방식이 강조하는 포인트가 효율성이기 때문이다. 효율성 높은 생산라인에서 우수한 품질이 나오는 것은 당연한 이치다.

린 생산방식을 통해 실질적 효과를 얻기 위해서는 경영진이 기존 관리에 대한 인식을 바꿔야 한다. 발전모델을 혁신하고 발전전략을 새롭게 수립해야 한다. 생산원가 절감, 효율성 향상, 낭비 근절이라는 원칙을 반드시 지키는 것이 중요하다. 동시에 실효성 있는 관리제도로 관리방식과 전략이 철저히 시행되어야 한다. 경영과 생산의 전문성을 강화해 오류나 고장 발생 가능성을 낮추는 일도 품질 향상에 효과적인 방법이다.

린 생산방식의 기본 개념은 경영자가 품질에 대한 엄격한 관리와 정확한 시간 관리, 철저함을 추구하는 세심함을 통해 우수한 제품을 생산하는 것이다. 이를 통해 낭비를 근절하고 안정적이고 넓은 시장을 확보함으로써 수익률을 끌어올리는 것이 최종 목표다. (출처: 《디테일 경영》, 왕중추 저)

린 생산방식은 재고를 쌓아두고 생산하는 과거 포드의 대량주의를 지양한다. 적시에 제품과 부품이 공급되는 JIT(Just-In Time) 시스템을 갖춤으로써 재고 비용을 줄이고 종업원의 적극적인 참여를 유도해 극한의 원가절감을 추구하는 혁신적인 방식이다. 종전의 대량 생산 시스템은 재고 비용과 과잉 생산을 낳는 등 부작용이 컸다. 이를 극복하기 위해 적시에 인력과 부품이 공급되는 시스템을 갖춰 재고 비용을 줄이고, 궁극적으로는 품질까지 높이는 생산방식으로 개선시켜 나갔다.

이전에는 재료와 부품이 공급되는 만큼 생산하는 '밀어내기 방식(push system)'이 사용되었다. 린 생산방식이 정착된 이후에는 현장에서 필요한 제품의 종류와 수량 등을 결정한 다음 생산요소들이 적시에 공급될 수 있도록 하는 '당기기 방식(pull system)'이 사용되고 있다. 린 방식은 자동차 산업뿐만 아니라 기계, 전자, 가전, 항공, 건설 등 다른 산업에도 확산되었다. 제조업을 넘어 서비스 업종에도 확산되었다. 종합병원과 같은 의료분야, 물류서비스 분야에서도 널리 활용되고 있다.

글로벌 생산시스템과 생산의 5대 원칙

'초격차'라는 단어를 여기저기서 듣는다. 초격차는 넘을 수 없는, 2등이 아예 1등이 되고자 하는 의지마저 꺾어 놓을 만큼 큰 격차를 벌려놓는 것을 뜻한다. 동종 기업이 범접할 수 없는 경쟁력을 확보한 기업이 '초격차 기업'이다. 《초격차 기업의 3가지 원칙》(최원석 저)에서 저자는 일본의 부활을 '초격차 기업'에서 찾는다. 호황이든 불황이든 경기와 상관없이 독자적 경쟁력을 확보한 기업, 본질을 파고드는 기업이야말로 성공할 수 있다고 주장한다. 화낙(산업용 로봇 세계 1위), 소프트뱅크, 유니클로, 도요타 등 초격차 기업의 성공비결은 '당연한 것을, 멈추지 않고, 제대로 한다.'는 것이다. 당연한 것을 멈추지 않고, 제대로 하는 것이 성공으로 가는 '느리지만 가장 확실한' 방법이다.

혁신에 있어서 세상에 특별한 것은 없다. 응당 해야 할 것을 하지 않은 데서 모든 문제가 발생한다. 해야 할 것을 하더라도 중도에 멈추기 때문에 바라는 성과를 얻지 못한다. 당연한 것을 멈추지 않고 하는 것에서 그치지 않고 그 일을 제대로, 극한까지 밀어붙여야 한다.

글로벌 기업들은 린 방식을 도입하면서 꾸준히 자사의 시스템을 발전시켰다. 저마다 World Best를 내걸고 제조역량 강화를 위해 다양한 기업문화와 국내외 World-Class 제조혁신 방법론을 연구했다. 자사에 맞는 제조혁신 철학을 정립하고 KPI와 제조혁신 이미지를 표준화했다. 자사 고유의 제조시스템 최적모델을 회사의 첫 영문자 'X'를 붙여 'XPS'라 부른다. 대부분의 경우 회사 이름 뒤에 '생산시스템'이라는 표현이 붙는다.

수많은 다국적 제조업체들이 자체적으로 린 프로그램을 도입했다. 자동차 완성업체를 시작으로 2000년도 이후 글로벌 기업들 대부분은 자체 Global Production System(또는 Standard)을 개발해 운영하고 있다. 볼보는 'VPS', 보쉬는 'BPS', 포드는 'FPS', 메르세데스 벤츠는 'MPS'로 부른다.

자동차 업종이 아닌 타업종이라고 예외는 아니다. 통신장비를 제조하는 핀란드 기업 노키아는 'NSM(Nokia Smart Manufacturing)'으로 부른다. 스포츠용품으로 유명한 나이키는 'NOS(Nike Norvus Ordo Seclorum)'으로 부른다. 미화 1달러 지폐 뒷면에 도안된 'Novus(새로운) Ordo(질서) Seclorum(시작되었다)'의 머리글자를 따왔다. '새로운 질서가 시작되었다.'는 뜻이다. 대량생산에서 린 생산방식으로의 전환을 의미한다. 신발을 만드는 방법뿐만 아니라 업(業)의 철학에 이르기까지 모든 분야에서 변화하지 않으면 생존할 수 없음을 이야기한다.

우리나라 대표기업 삼성과 LG는 과거에 'SPS' 'LPS'라는 이름으로 린 생산방식을 추진했었다. 하지만 지금은 사용하지 않는 용어가 되어 버렸다. 국내 기업들이 참 못하는 부분이 '멈추지 않고' 하는 거다. 꾸준히 잘한다 싶다가도 CEO 바뀌면 싹 멈춘다. "신임 CEO는 전임 CEO가 한 일을 부정해야 본인 성과가 빛이 난다."고 누가 그랬다. 글로벌 선진기업들은 CEO가 바뀌어도 전임 CEO의 성과에 이어서 추진하는 경우가 대부분인데, 유독 우리나라 기업들은 CEO 바뀌면 올 스톱이다. 직원들도 익숙해졌는지 "CEO 바뀌면 그 일 어떻게 될지 모릅니다."라며 말한다. 언제 멈출지도 모르는 일에 어느 직원이 열과 성을 다하겠는가?

HPS는 글로벌 자동차부품 회사 '만도(Mando)'의 자사생산시스템이다. 'H'는 만도가 속해 있는 한라(Halla)그룹의 첫 이니셜이다. 만도의 HPS는 2009년에 시작해 지금까지도 10년을 훌쩍 넘겨 진행 중이다. CEO가 몇 번 바뀌었지만 활동을 멈추지 않고 지속해오고 있다. HPS의 성숙도(1000점 만점) 수준은 시작 시점에 200점대였지만 지금은 800점대 후반을 유지하고 있다. 공장 운영 관련한 KPI 성과도 자연스럽게 올랐다. 글로벌 기업들은 자사생산방식(이하 XPS라 부른다.)을 통해 당연한 일을, 멈추지 않고, 제대로 하려고 노력한다.

● 2009년에 시작한 HPS는 지금도 진행 중 (출처: Mando)

생산시스템의 목표는 자사의 생산 네트워크에 속해 있는 모든 공장에 지속적 개선을 추구하는 문화를 주입할 수 있도록 명확하고 안정적인 구조와 로드맵을 제시하는 것이다. 하지만 이런 프로그램을 실행하는 과정에서 으레 어려움이 따르게 마련이다. 위치, 규모, 역사, 프로세스 기술, 노동 시장 현황, 그 외 환경 등 각 공장이 처한 상황이 저마다 다르기 때문이다. 뿐만 아니라 글로벌 네트워크에 속해 있는 각 공장이 저마다 다른 경쟁 조건, 시장 조건과 맞닥뜨릴 가능성이 크다.

글로벌 기업들은 현지화 요구로 인해 해외 사이트가 증가했으나, 국내(본사) 공장과 해외 공장 간 제조역량과 시스템에 차이가 발생했다. 특히 해외 공장을 조기 안정화시켜 국내 공장과의 차이를 신속히 줄어야만 했다. 또한 사이트 간에 평가체계가 달라 비교평가가 곤란한 문제도 있었다.

『삼성 · LG '휴대폰 해외 공장 불량률 줄여라.' 삼성전자, LG전자 등 국내 휴대폰 업계가 해외 공장 관리에 어려움을 겪고 있다. 국내 공장에 비해 불량률이 현저히 높은 데다, 문화적 차이 때문에 한국과 같은 시스템 적용도 힘든 상황이다. 이에 따라 업체들은 해외 공장을 위한 별도의 프로그램을 마련하고, 인적 요소를 공정에서 최대한 줄이기 위해 노력하고 있다. (이하 생략)』 (출처: 《디지털타임스》, 2006/8/28)

기업들은 일관되고 지속적인 혁신 활동을 하지 못했다. 과거부터 다양한 혁신 기법을 도입했지만 대부분 툴(tool) 중심으로 부분적인 혁신 활동에 치우쳤다. 조직문화와 변화, 성과와 연계된 혁신 활동으로 정착하기에는 한계가 있었다. 자사 고유의 경영 환경과 조직문화를 고려하지 않고, 다양한 선진 경영기법들을 단순히 모방해서 도입했기 때문이다. 직원들의 일과 혁신이 별개로 진행돼 업무 로드(load)가 가중되고 결국 혁신피로도가 증가했다. 과제개선은 되었으나 일하는 방법과 조직문화를 변화시키기엔 역부족이었다.

개별적인 문제해결 중심의 혁신 활동은 '비전→Goal→KPI→전략과제'로의 연계성이 부족했다. 글로벌 베스트 프랙티스에 기반한 제조 비전을 구축하고, KPI 선정, 목표와 연계된 전략과제를 도출해 실행하는 성과형 혁신체계 구축이 필요함을 깨달았다.

XPS의 구조는 피라미드 형태로 설계한다. 최상위 '제조 비전'을 설정하고, PQCD 경쟁력 확보를 위한 'Goal & KPI'를 정한다.

Goal을 달성하기 위한 사상과 철학을 담아 'Principle'을 정의한다. World Best 이미지를 반영해 중점 추진할 혁신 방향을 'Core Activities'로 설정한다. 피라미드의 제일 하단은 혁신 방향에 대한 구제적인 모습을 정의해 'Core Requirements'가 위치한다.

XPS의 전체 프레임은 총 네 가지로 구성되어 있다. '구조 설계' '평가체계(assessment) 설계' '전략과제 실행' '성과 검증'으로 구성된다. 상호 연계성을 가지고 실행해 지속적으로 XPS를 레벨업시켜 제조역량을 강화할 수 있다. XPS의 프레임에 대한 구체적인 내용은 지면의 한계 때문에 생략하겠다.

두산그룹의 핵심 계열사인 '두산산업차량(Doosan Industrial Vehicle)'은 2017년에 자사생산방식인 DPS를 도입했다. DPS는 'Doosan Production System'의 약어이다. DPS의 비전을 만들고 핵심 원칙을 정하고 평가체계를 설계했다. 모듈별 실행매뉴얼을 만들고 본사인 인천공장을 시작으로 중국공장(DIVC), OEM 업체까지 확대했다. 필자는 2018년부터 중국공장을 지도하고 있다. DPS 성숙도 목표점수를 정하고 1,000점 만점 기준으로 매년 모든 사이트를 평가한다. 곁에서 지원하는 필자의 입장에서는 해마다 조금씩 증가하는 성숙도 수준을 보면서 보람을 느낀다. 성숙도 점수만큼 몰라보게 향상된 직원들의 발전이 보이기 때문이다.

두산산업차량의 DPS는 MES와 함께 운영하면서 시너지를 발휘했다. DPS를 기반으로 업무 표준화를 진행하고, MES를 통해 실행력을 극대화하면서 스마트팩토리를 통한 선진화된 제조경쟁력을 확보

해나가고 있다. 예를 들어 DPS의 한 모듈인 'MW(Multi Worker)'에서 작업자 다기능화를 위한 교육커리큘럼, 숙련도 평가기준을 만들고 평가한다. 그러면 MES에서 개인훈련 이력을 관리하고 평가결과를 반영해 다기능현황판이 운영된다. DPS와 MES를 통합 추진해 공장 운영 성과를 극대화하고 낭비 없는 흐름공장을 만드는 것이 최종 목표다.

"XPS를 단기간에 성공할 수 없다는 건 압니다. 하지만 XPS가 얼마나 공장 성과에 기여하는지는 의문입니다. 저희 CEO는 오래 기다려주지 않습니다."

기업 담당자와 면담할 때 자주 듣는 말이다. 우리나라 국민성 자체가 인내심이 없다. 뭔가 하면 빨리 성과가 나야 안심한다. 성과가 빨리 안 보이면, "이 길이 아닌가 봐!" 하며 딴것 찾는다.

"린 시스템, 인내 갖고 실천해야 효과난다."

2014년 DBR(동아비즈니스리뷰)에 실린 기사의 제목이다.(연구논문에 가깝다) 이 기사의 핵심을 요약하면 다음과 같다.

『볼보그룹은 2007년에 VPS(Volvo Production System)를 도입했다. 그 후, 볼보그룹은 세계 각지에 위치한 67개 공장에서 VPS를 실행해왔다. 필자들(연구원을 말함)은 VPS 프로그램의 5년 역사를 살펴보고 VPS 프로그램을 도입한 전 세계 67개 공장 중 44개를 방문했으며 200명의 관리자를 인터뷰했다. (중략) 연구를 통해 생산시스템 실행의 성숙도와 성과 사이에 상당한 정적(positive) 상관관계가 존재하며 둘 간의 관계가 대략 S커브 모양을 띤다는 사실을

발견했다.』 (출처: DBR, 2014 No.162)

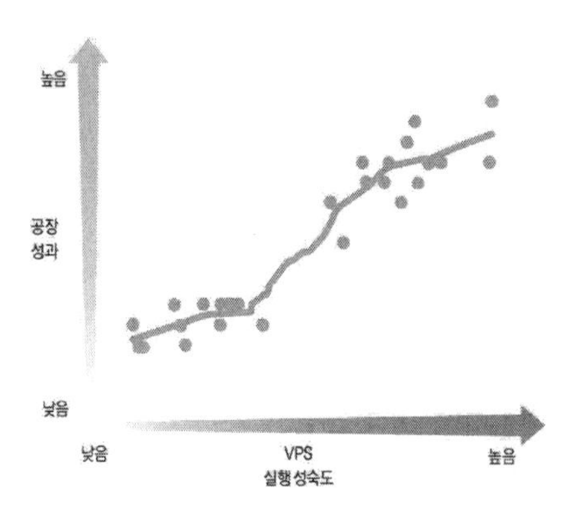

● 볼보의 VPS 연구결과

2014년 볼보그룹의 결론은 '장기적으로 VPS 성숙도와 성과는 정비례한다.'였다. XPS는 결국 끈기와의 싸움이다. 어느 기업이건 린 생산방식을 도입해서 성과를 보려면 오랫동안 많은 노력을 기울여야 한다. 주변 상황이 아무리 좋다 하더라도 성숙도 수준(점수)과 공장 레벨이 올라가려면 몇 년이 걸린다. 본사에서 일하는 CEO와 고위급 관리자에서부터 현장에서 일하는 직원들에 이르기까지 모든 사람의 마음가짐이 변해야 한다.

XPS는 '우리 회사의 베이스캠프(base camp)를 올리는 것'이라고 할 수 있다. 지구에서 가장 높은 산인 에베레스트의 높이는 8848m이다. 너무 높아 베이스캠프를 치고 정상을 향해 한 단계 한 단계 올라가는 수밖에 없다. 올라가면 올라갈수록 공기가 희박해 등정 속도가 더뎌진다. XPS의 성숙도를 향상시키는 일도 마찬가지다. 시작

초반엔 가파르게 올라가지만 어느 시점에 다다르면 항상 속도가 더 뎌진다. '현재 300점, 내년엔 500점, 내후년엔 650점, 5년 뒤엔 800점 달성'과 같이 끈기를 가지고 추진해야 한다.

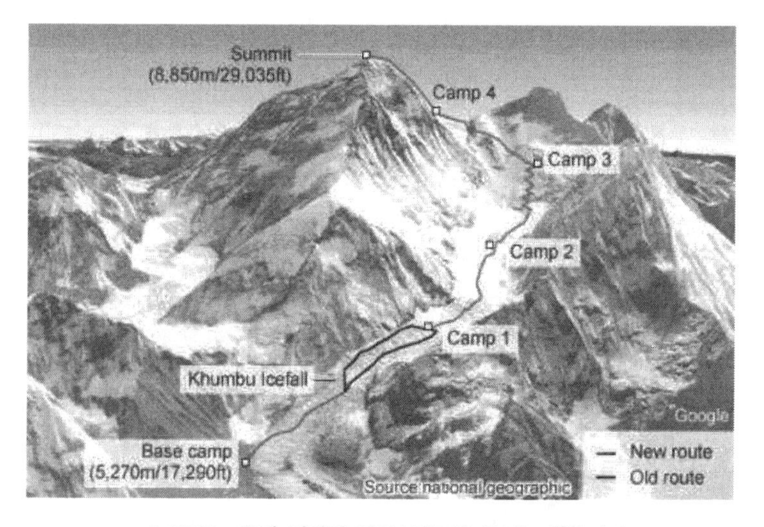

● XPS는 우리 회사의 베이스캠프를 올리는 활동이다.

필자는 2014년 팀으로 수행한 프로젝트에서 다양한 글로벌 생산 시스템을 연구했다. XPS마다 기본 틀, 원칙, 실행모듈들은 조금씩 차이가 있었지만 큰 맥락은 유사했다. 대부분의 다국적 기업들은 린 사상과 원칙을 바탕으로 자사의 주력제품과 비즈니스 형태, 조직문화를 반영해 원칙과 실행모듈을 결정했다. 공통적으로 추구하는 원칙들을 모아보니 5개 정도로 압축됐다. 5개의 원칙을 간단히 소개하겠다.

원칙1은 'FLOW'이다. FLOW는 '흐름화'를 말한다. 물처럼 흘러가는 흐름화 생산을 한다는 의미다.

원칙2는 'PULL'이다. PULL은 '당기기 방식'을 말한다. 후공정이 필요한 만큼만 생산한다는 의미다.

원칙3은 '5S/VM'이다. 정상과 이상이 보이게 한다는 의미다. 정상과 이상이 보이려면 무엇이 어디에 얼마만큼 있는지 보여야 한다.

원칙4는 'BIQ'이다. BIQ(Built-In Quality)는 '자공정 품질보증'을 말한다. 공정에서 완벽하게 품질을 확보한다는 의미다. 품질은 공정해서 달성해야 한다.

마지막 원칙5는 'CI'이다. CI(Continuous Improvement)는 '지속적 개선'을 말한다. 전원이 참여하여 지속적으로 개선한다는 의미다. 다음 장부터는 다섯 가지 원칙에 대해 차례대로 알아볼 것이다. 원칙이 나오게 된 배경, 핵심 개념, 달성 방법, 적용 사례를 조합해 최대한 이해를 돕도록 했다.

일본에서 탄생하고 미국에서 발전한 린 방식을 기조(基調)로 책을 쓰다 보니 외래어가 너무 많다. 글로벌 기업들이 사용하는 용어를 쓸 수밖에 없어 낯선 단어와 영문 약어가 넘쳐난다. 새로운 용어나 약어를 접하더라도 당황하지 않았으면 좋겠다. 용어 자체보다는 개념 이해가 중요하다. 글로벌에서 주로 쓰는 용어라 알아두면 나쁘지 않다. 자주 접하다 보면 친해지고, 친해지면 어느 순간 개념도 터득된다. 용어에 먼저 익숙해지길 바란다. 용어를 알면 어디 가서 '아는 척'이라도 할 수 있다.

2장. FLOW,

물처럼 흘러가는 흐름화 생산을 한다

왜 흐름화인가?

'우문현답(愚問賢答)'은 널리 알려진 한자성어다. '어리석은 질문을 받고 현명하게 답한다.'란 뜻이다. 생산 현장에서는 우문현답을 문장의 앞글자만 따서 '우리의 문제는 현장에 답이 있다.'로 표현하곤 한다. 말장난 같지만 필자의 경험상 딱 들어맞는 말이다. 흔히 말하는 '탁상공론' '책상 위에서의 혁신'이 아니라 실제로 현장에서 일어나고 있는 현실의 문제는 현장에서 해결책을 찾아야 한다. 실제로 현장에서 문제해결의 답을 찾지 못하고 탁상공론에 그치는 경우는 허다하다. 현장에 가면 답이 보인다.

공장은 현장을 배제하고 논할 수 없다. 필자에게 현장은 가장 먼저 문제를 보여주는 곳이다. 업체를 진단할 때면 새로 만난 담당자와 간단히 인사를 나누고 현장으로 직행한다. 특강 의뢰를 받아 처음 방문하게 된 업체라도 불가피한 상황이 아니면 한 시간 일찍 도착해 현장을 반드시 가본다. 현장을 단 몇 분이라도 둘러본 상황과 안 보고 이야기하는 상황은 전혀 다르다. 특강 중에 강조할 내용을 그 업체의 현장 상황과 비추어 이야기해 주면 자기 공장 이야기라고 수강생들 눈이 초롱초롱해진다.

현장을 보는 이유는 간단하다. 첫째, 그 회사의 생산방식과 흐름을 이해하기 위해서다. 현장을 보는 순서는 재료가 입고되는 자재창고에서부터 첫 투입공정, 마지막 공정을 거쳐 완제품 창고까지 물건이 흘러가는 흐름대로 돌아본다. 둘째, 현장을 보면 문제점이 보인다. 이 일도 오랫동안 업(業)으로 삼고 있다 보니 나름 내공이 생겼다고 할까. 현장만 둘러보고 대표이사와 면담해도 대화가 잘 통한다. 문제점을 바로 이야기하기 때문이다.

"어떻게 그 짧은 시간에 우리 문제점을 정확하게 잘 봤습니까?" 하며 놀랍단 표정을 짓는다.

현장을 볼 때 필자만의 관점이 있다. 라인에 들어가면 자연스럽게 제일 먼저 눈에 들어오는 것이 작업자다. 현장에서 일하는 직원들의 표정을 유심히 본다. 일에 찌들어 있고 늘 문제가 많은 공장은 직원들 표정이 대체로 어둡다. 이런 공장 직원들은 대체로 눈을 잘 마주치려 하지 않는다. 간혹 눈이 마주쳤다 하더라도 '당신 누구야?' 아니면 '바빠 죽겠는데 뭐야?' 정도의 표정이다. 피곤과 짜증을 눈빛으로 표현한다. 물론 필자의 주관적인 느낌이지만. 반대로 어느 공장에 가면 직원들이 눈을 맞추면서 살짝 눈인사를 한다. "안녕하세요!" 하며 인사하는 직원은 많지 않지만 가벼운 눈웃음만으로도 충분하다. 그걸로 끝이다. '우리 회사 와줘서 고마워요. 잘

둘러보고 가세요!' 아니면, '나는 우리 공장이 자랑스러워!' 대충 이런 눈빛이다. 자신감이 풍어난다. 이런 공장은 진단을 해봐도 별 큰 문제는 없는 경우가 많다.

정리, 정돈, 청소 등 작업환경도 반드시 같이 살펴본다. 깨끗하고 잘 정돈되어 있는 공장은 품질도 좋고 생산성도 높다. 반대로 지저분하고 정돈이 부실한 공장을 보면 늘 불량으로 몸살을 앓고 여기저기 문제투성이다. 지표 안 봐도 비디오다.

필자가 현장을 바라보는 가장 중요한 관점은 '라인에 얼마나 물건이 많이 있는가?'이다. 공장은 물건을 만드는 곳이다. '물건 만드는 공장에 제품 많이 있으면 좋은 거 아닌가?' 아니면 '이 회사는 비즈니스가 잘되나 봐!'라고 생각할 수 있지만 꼭 그렇지만은 않다. 라인에는 물건이 만들어지다 멈춘, 아직 완성품이 되지 못한 반제품들이 있다. 라인에 반제품 또는 재공품이 많다는 것은 흐름이 좋지 않음을 의미한다.

사람은 혈액순환이 잘돼야 건강하다. 기름기가 많이 낀 피는 혈액순환을 방해한다. 혈액순환이 잘 안 되면 고혈압이나 고지혈증 같은 질환이 온다. 심하면 동맥경화나 뇌졸중으로 쓰러진다. 공장에 있는 모든 물건, 즉 자재나 재공품, 완제품들은 사람으로 따지면 '피'다. 자재가 투입되면 완성품으로 빨리 만들어져야 혈액순환이 잘되는 공장이다. '정체되어 있는 물건'은 '기름기 많이 낀 피'와 같다. 물건이 막힘없이 원활히 흘러야 건강한 현장이다. 강한 현장이 되기 위한 첫째 원칙인 'FLOW', 즉 물처럼 흘러가는 흐름화 생산을 해야 하는 이유다.

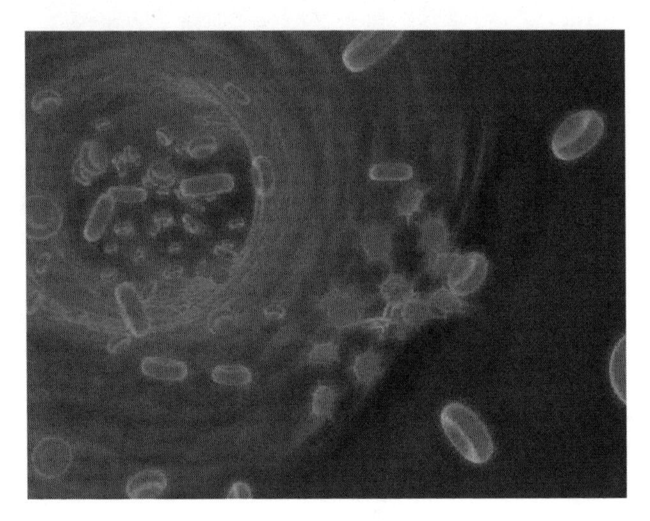

● **혈액순환이 잘돼야 건강하듯, 물건의 흐름이 좋아야 건강한 공장이다.**

FLOW는 '흐름화', '정류화'로도 부른다. 흐름이 좋지 않다는 것은 무엇을 의미할까? 말 그대로 물건이 흘러가다 자주 멈춘다는 의미다. 멈추는 이유는 다양하다. 불량 나서 멈추고, 자재 부족해서 멈추고, 설비 고장 나서 멈춘다. 공장에서는 이 같은 상황을 '비가동'이라 부른다. 비가동은 관리력이 부족해서 발생하는 예측하지 못한 돌발 상황이다. 돌발 상황은 흐름화 저해의 주범(主犯)이다. 물건 만드는 일도 사람이 하는지라 당연히 발생할 수는 있지만 관리력을 높여 최소화해야 한다. 더 큰 문제는 돌발 상황에 직원들이 민감하게 반응하고 신속하게 대응하지 못하는 데 있다.

또한, 흐름이 좋지 않다는 것은 곳곳에 정체가 많다는 의미다. 대로트로 생산하면 한 로트가 모두 끝나야 다음 제품을 생산할 수 있기 때문에 정체시간이 늘어난다. 또한 배치 생산인 경우 로트 마무리가 안 되면 다음 공정으로 이동할 수도 없다.

흐름화는 '동기화(同期化, synchronization)'로도 부른다. 흐름화를 이해하려면 반드시 동기화에 대한 이해가 필요하다. 동기화는 TPS의 핵심사상인 JIT와 일맥상통한다. Just in Time은 '늦지 않게' '시간에 맞춰서'라는 의미다. 정확하게 그 시간에 오지는 않더라도, 앞뒤와 '보조를 맞춰서 늦지 않게'라는 의미다. Just on Time은 '정시에'라는 의미로 다소 차이가 있다.

고속버스 환승을 생각하면 이해가 쉽다. 서울에서 부산행 고속버스를 타고 천안 부근 휴게소에서 광주행으로 환승한다고 가정해보자. 환승할 버스가 정확히 예정시간에 도착하면 좋겠지만 적어도 최소한 내가 탄 버스와 비슷한 시간에 오면 된다. 내가 탄 버스가 너무 빨리 오면 많이 기다려야 되고, 환승할 버스가 너무 빨리 오면 그 버스 승객들이 많이 기다려야 된다. 정확히 예정시간에 오면 가장 좋겠지만(Just on Time), 적어도 보조를 맞추어야 한다는(Just in Time) 의미다.

다년간 지도한 D기업(인천 소재)의 직원과 식사 자리에서 있었던 대화가 생각난다. "서울에서 출퇴근 어떻게 하십니까?"라고 물었다가 웃픈 이야기를 들었다. "우리 회사 통근버스 기사님은 정류장에 도착해서 출발시간이 안 되도 기다리는 직원이 없으면 그냥 가버립니다." 만약 7시가 예정시간이고 통근버스가 6시 57분에 도착했는데, 직원 없으면 그냥 가는 거다. 멀리서 헐레벌떡 뛰어오고 있을 직원들 모습이 상상됐다. 대화를 나누었던 그 직원은 "상황이 이래서 저는 그냥 자가용으로 출퇴근합니다."라며 말했다. 이야기를 듣다가 나도 모르게 내뱉었다. "동기화가 전혀 안 되는군요." 직업병이 도졌다. 이놈의 직업은 못 속인다.

2018년 평창 동계올림픽에서 스피드 스케이팅 여자팀 추월 경기를 기억하는가? 세 명이 팀을 이뤄 가장 기록이 좋은 팀이 우승하는 경기다. 팀 추월 경기는 마지막에 들어온 주자의 기록을 기준으로 순위가 결정된다. 이슈가 된 건 대한민국 여자 국가대표팀 세 선수가 제대로 된 팀워크를 보이지 못하고 서로 간에 큰 거리를 내며 결승점에 들어온 것이다. 마지막 두 바퀴를 남기고 한 선수가 혼자 뒤처졌음에도 앞에 가던 두 선수가 알아채지 못하고 계속 나아갔고, 결국 마지막 선수 기록에 따라 7위를 하면서 준결승 진출이 무산됐다. 경기를 지켜보던 온 국민이 실망하면서 의도적이다, 아니다. 집단 따돌림 의혹 등 많은 논란이 일었다.

● 2018년 평창 동계올림픽 여자팀 추월 경기. 보조를 맞춰 가라.

필자는 누구의 잘잘못을 따지자는 게 아니다. 이 일화를 통해 동기화 개념을 쉽게 설명하고자 함이다. 실제로 이 뉴스를 처음 접했을 때 바로 '동기화'라는 단어가 떠올랐다. 출전한 모든 선수의 실력엔 차이가 있기에 팀워크를 발휘해 '보조를 맞추어' 경기를 진행해야 이길 수 있다.

우리 현장도 똑같다. 공정마다 능력 차이는 분명히 있다. 능력을 동일하게 설계했다 하더라도 설비문제, 작업자의 숙련도 문제 등으로 능력에 차이가 발생하기 마련이다. 능력이 많은(택트타임이 짧은) 전(前)공정이 능력이 부족한(택트타임이 긴) 후(後)공정과 보조를 맞추지 않으면 두 공정 사이에는 대기, 정체가 발생한다. 당연히 흐름이 나빠진다. 앞선 선수는 뒤처진 선수와 보조를 맞춰야 하듯, 전공정과 후공정이 보조를 맞추는 것이 동기화다.

동기화의 사전적 의미는 '사건이 동시에 일어나거나, 일정한 간격을 두고 일어나도록 시간 간격을 조정하는 것'이다. 작업 간 수행시기를 맞추는 것, 즉 공정간 또는 작업자간 생산능력을 일치시켜 재공 또는 대기 낭비를 없애는 것이다. 공정 간에 동기화가 안 되면 정체가 발생하고 재공이 늘어난다. 이는 흐름이 나쁨을 의미한다.

라인에서 동기화를 구현하는 방법은 크게 네 가지가 있다.

첫째, 멀리 떨어져 있는 공정을 가까이 붙여서 '레이아웃 개선으로 동기화'하는 방법이다.

전공정과 후공정이 떨어져 있으면 어쩔 수 없이 재공이 생기고 흐름이 나빠진다. 배치가 분리되어 서로 작업을 볼 수 없다. 운반거리와 운반시간이 길어지고 각자 작업속도도 알 수 없다. 이 문제는 레이아웃 변경을 통해 흐름화가 가능하다. 혹자는 이런 방식의 개선을 '인라인(in-line)화'라 부른다. 떨어져 있는 전공정과 후공정 또는 저장소와 공정을 붙여서 연속흐름을 만드는 방법이다.

둘째, 멀리 떨어져 있어도 '택트타임(tact time)으로 동기화'하는 방법이다.

택트타임은 'takt time'이라고도 쓴다. 독일어 'taktzeit'에서 온 말이다. 전공정과 후공정의 택트타임 차이가 없는 경우에 가능하다. 차이가 있다면 그 차이를 줄이는 활동이 개선 포인트다. 택트타임은 '고객 요구수량 1개를 만들 때 필요한 시간'을 말한다. 공장에는 레이아웃 변경이 곤란하거나, 불합리한 공장구조를 바꾸는데 제약이 있는 경우가 많다. 예를 들어 전공정과 후공정을 붙이거나 아니면 최소한 가까이 놓고 싶으나, 두 공정 사이에 기둥이 있는 경우다. 또한 생산량 변동이 심하고 예측이 곤란하면 과잉생산이 많아지고, 각각 서로 다른 택트타임으로 생산하게 된다. 이런 경우 택트타임 동기화를 통해 흐름을 개선할 수 있다.

셋째, '표준재공을 설정해 동기화'하는 방법이다.

멀리 떨어져 있고, 택트타임으로 동기화하려 해도 전공정과 후공정의 택트타임에 차이가 있어 흐름이 나쁜 경우다. 공정별 능력이 다르기 때문이다. 예를 들어 전공정 택트타임이 10분, 후공정 택트타임이 12분이라면 2분의 차이로 인해 두 공정 간에는 재공과 정체가 생길 수밖에 없다. 시간이 지날수록 후공정 앞에는 물건이 쌓이게 된다. 그 차이를 '표준재공'으로 통제해 흐름을 조금이라도 좋게 만드는 방법이다. 표준재공은 두 공정의 택트타임 차이만큼 재공 수량을 미리 결정하고 그 양에 도달하면 생산을 늦추거나 멈추어야 함을 의미한다. 표준재공이라는 수단을 통해 동기화함으로써 속도를 조절할 수 있다.

마지막 넷째, '후보충 개념으로 동기화'하는 방법이다.

레이아웃 변경도 곤란하고 택트타임 동기화도 어려운 경우, 가장 쉽게 적용할 수 있으면서도 효과가 큰 방법이다. 택트타임이 다르면 전공정에서 후공정으로 푸시(push) 방식으로 밀어낸다. 공정간 대기와 정체가 심해지고 재공이 많아진다. 연속흐름 배치가 곤란한 경우는 후보충으로 생산하면 된다. 연속흐름이 불가능하고 로트생산이 필요한 경우, 특정 공정이 너무 빠르거나 너무 느린 경우, 특정 작업장(공정 또는 창고)이 멀리 떨어져 있어 한 개 운반이 곤란한 경우 유용하다.

생산형태는 품종수와 생산량을 고려해 크게 세 가지로 분류한다. 소품종 대량생산의 경우는 '연속생산', 중품종 중량생산의 경우는 '로트생산', 다품종 소량생산의 경우는 '개별생산' 형태를 따른다. 후보충 개념은 개별생산이냐, 로트생산이냐에 따라 적용방식이 다르다. 연속생산인 경우는 별 의미 없다.

개별생산인 경우는 후공정 순서(sequence)에 따라 전공정 순서를 맞춘다. 예를 들어 후공정이 A-B-C 순서로 생산하는 경우, 전공정도 A-B-C 순서로 생산한다. 로트생산인 경우는 최소량(min), 최대량(max)과 보급량을 설정하고, 전공정에 '후보충 신호(pull signal)'를 보낸다. 최소량에 도달하면 최대량을 넘지 않도록 보급량만큼만 가져다 채워주는 방식이다. 후보충 신호는 MES를 활용하거나, 매뉴얼(manual) 간판, 전자 간판(e간판)을 사용하는 방식 등 다양하다. 사람이 직접 '순회 점검'하는 방식도 있다. 보급담당자가 정해진 주기로 라인을 돌면서 보충해주어야 할 작업장(또는 라인사이드)을 체크하고, 신속히 정해진 양만큼만 채워주는 방식이다. 후보충 개념은 린 방식에서 'Pull System'으로 정의되어 널리 알려져 있다. 자세한 내용은 3장에서 다루겠다.

가치흐름을 파악하라

공장의 흐름화 정도를 파악하거나 분석하는 방법에는 무엇이 있을까? 린을 대표하는 툴인 VSM이 있다. VSM은 'Value Stream Mapping'의 약어로 '가치흐름지도'라 부른다. '가치흐름'이란 단어는 다소 생소할 수 있다. 가치흐름이란 원자재에서 제품이 고객의 손에 들어갈 때까지의 생산흐름, 개념형성 단계에서부터 제품이 출시될 때까지의 설계흐름과 같이 부가가치 활동과 비부가가치 활동을 모두 포함하여 제품을 생산하는 데 필요한 모든 활동을 말한다.

가치흐름의 관점을 취한다는 것은 개별 프로세스가 아닌 전체 그림을 보고 일하는 것을 의미한다. 부분을 최적화하는 것이 아니라 전체를 개선하려는 의도다. 가치흐름은 린 경영에서 중요한 실행 기법이다. 가치흐름을 통해 쉽게 낭비의 원천을 파악할 수 있다. 가치는 철저히 고객 관점에서 바라봐야 하며 고객이 가치를 정의한다.

고객이 정의한 가치를 창출하는 주체가 기업이다.

공장에서 가치 있는 것은 자재와 정보가 대표적이다. VSM은 '자재나 정보의 흐름을 시각화한 기법'으로 정의한다. 프로세스의 처음부터 끝까지 따라가면서 자재와 정보의 흐름 속에 있는 모든 프로세스를 시각적으로 표현해 문제를 발굴하는 툴이다. 개별 프로세스 개선만이 아니라 총체적 극대화에 초점을 맞춘 큰 그림이다. 시스템 개선은 가치흐름을 개선하는 것이고, 포인트 개선은 프로세스를 개선하는 것이다. VSM은 낭비를 발견하고 이를 제거하는 데 도움을 주는 기법이며, 린 방식과 TPS를 차별화하는 기법이다.

가치흐름을 그려야 하는 이유를 대략 다섯 가지로 설명하겠다.

첫째, 제조공정에 대해 이야기할 수 있는 조직의 공통언어가 된다. VSM을 생활화하면 그림 한 장으로도 의사소통이 가능해진다.

둘째, 가치흐름을 시각화한다. 생산과정에서 단순한 조립이나 용접과 같은 단일 공정 수준 이상의 것을 시각화할 수 있게 도와준다. 프로세스의 가치흐름을 도식화해 누가 봐도 한눈에 알아볼 수 있다. 보이면 개선이 쉽다. 혹자는 '어항관리'라는 말을 쓰기도 한다. 어항을 보고 있으면 고기들이 잘 노는지, 움직임이 평소와 다른 아픈 고기는 없는지 바로 한눈에 들어온다. 투명하면 보이고, 보이면 개선할 수 있다.

셋째, 낭비요인 파악이 쉽다. 과잉생산, 대기, 재고, 운반, 가공, 동작 및 불량의 낭비를 '7대 낭비'라 부르며, 그중 어떤 낭비인지 쉽게 파악할 수 있다. 낭비 이상의 것을 볼 수 있게 해준다. 가치흐름에서 낭비의 원인이 무엇인지 볼 수 있게 도와준다.

넷째, 자재흐름과 정보흐름 사이의 연관관계를 보여준다. 자재와 정보의 흐름을 연결해 진정한 가치흐름을 구축할 수 있다.

마지막으로 다섯째, 개선을 위한 기초가 된다. 어디를 개선해야 하는지, 현재 수준은 얼마인지를 파악할 수 있다.

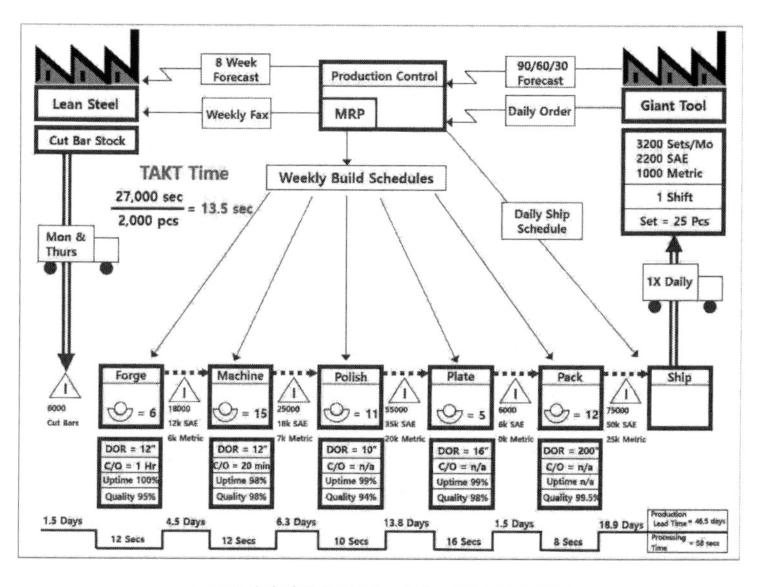

● VSM(가치흐름지도) 사례 - 현재상태지도

가치흐름지도를 전개하는 단계는 먼저 가치흐름을 맵핑할 제품군을 선정하고 현재상태지도(CSM, Current State Map)를 그린다. 다음은 린 흐름방식을 디자인해 미래상태지도(FSM, Future State Map)를 그린다. 마지막으로 비전 만들기를 포함해 미래상태지도로 가기 위한 구체적인 실행계획을 개발한다. 현재상태지도를

VSP(Value Stream Planning), 미래상태지도를 VSD(Value Stream Design)로도 부른다. 다음 그림은 어느 회사의 현재상태지도를 나타낸다. VSM을 그리는 방법은 특정 기호를 알아야 하고, 다소 복잡하기에 별도로 자료를 찾아서 공부해보기를 권한다.

VSM을 통해 반드시 계산해 봐야 하는 것이 PCE다. PCE는 'Process Cycle Efficiency'의 약어로 '프로세스 주기 효율' 정도로 해석할 수 있다. PCE 계산공식은 '부가가치시간(VAT)'을 '총 리드타임'으로 나눈 값으로, 비부가가치 요소가 어느 정도인지를 알려준다. 분자인 부가가치시간은 공정별 사이클 타임의 합으로 계산한다. 여기에서 주의할 사항이 있다. 만약, 1개를 만드는데 드는 시간이 1분이고, 로트 크기가 60개라면 부가가치시간을 60분으로 계산하면 안 된다. 로트 크기에 상관없이 1개 만드는데 걸리는 시간으로 계산한다. 고객 입장에서는 1개만 필요할 수도 있기 때문이다. "우리 공장은 만드는 최소단위가 60개이기 때문에 60개 모두 만들 때까지 기다리세요."라고 말 못 하는 것이다. 이런 사고방식은 고객 중심적이 아니다. '한 개 흘리기'가 필요한 이유다. 분모인 총 리드타임은 재공재고를 리드타임으로 환산하여 산출한다. 시종(始終)관리가 가능한 POP나 MES가 있으면 평균값을 적용해도 무방하다.

상기 사례에서 PCE를 계산해보자. Processing Time의 합인 분자는 58초이고, Production Lead Time인 분모는 46.5일이다. 46.5일을 하루 8시간 기준으로 초단위로 환산하면 1,339,200초가 된다. PCE를 계산하면 0.0043%이다. 고객 입장에서 봤을 때 가치 있는 일이 1%도 채 안 된다는 의미다. "내 일의 99%는 낭비다!" TPS의 창시자인 고(故) '오노 다이이치(大野耐一)'가 한 말이다.

일반적으로 제조부문의 PCE는 5% 미만으로 95% 이상이 대기와 정체 낭비다. PCE를 5%에서 25%까지 높일 수 있다면 제조 간접비와 품질 관련 비용은 20%까지 줄어든다. 로트 크기가 작아지면 프로세스 스피드가 빨라진다. 리드타임이 단축되면 인력, 장비 요구 작업, 보관비용 및 고객 서비스 요구 활동 등이 감소해 수익이 현저히 증가한다.

업종별 가치 제공 과정의 특성에 따라 PCE 수준이 다르다. 베스트 프랙티스를 통해 업종별로 도달해야 할 목표를 정하고 목표달성을 위한 방법론이나 도구를 선택할 수 있다. 업종별 World Class PCE 수준은 기계가공(machining) 공정이 20%(평균 1%), 제작(fabrication) 공정이 25%(평균 10%), 조립(assembly) 공정이 35%(평균 15%), 연속제조(continuous manufacturing)가 80%(평균 30%), 사무 간접 프로세스가 50%(평균 10%)이다. (출처: 한국벤처창업학회, 2012)

기계가공업종의 PCE 수준이 세계적 우수기업이라 하더라도 20% 수준밖에 안 되므로 어떠한 기업이라도 PCE를 개선할 여지는 충분하다. 제조업에 근무하는 독자라면 소속한 회사의 PCE를 한번 계산해보고 World Class 수준과 비교해보기 바란다.

필자는 공장 운영에 대한 기업진단을 의뢰받으면 현장에서 간략히(quick으로) 데이터를 추출해 PCE를 계산해본다. 이 값을 경영자에게 보여주면 대부분 눈이 휘둥그레지며 말한다. "우리 공장이 이렇게 낭비가 많은 줄 몰랐습니다." PCE는 공장 진단할 때 믿고 쓰는 필자의 비밀병기다.

필자가 프로젝트를 진행한 D사의 VSM 활동을 간단히 소개한다. D사는 산업용 지게차를 만드는 조립업종이다. D사는 자사생산방식을 DPS(Doosan Production System)라는 이름으로 2017년부터 추진해오고 있다. DPS에는 총 16개의 모듈이 있으며, 그중의 하나가 흐름화 개선을 목적으로 한 'VSM' 모듈이다. VSM 모듈의 주요 KPI로 'PCE'와 '리드타임'을 월별로 관리한다. 꾸준한 활동 노력의 결과로 DPS 시작 시점 대비해서 리드타임은 64%, PCE는 55% 향상되었다. 보조 지표로 '비가동 건수'와 '대당 비가동 MH(Man-Hour, 투입공수)'를 관리한다.

VSM은 가치창출과 낭비제거를 위한 파워풀한 도구지만, 그리기 어렵고 복잡하다는 이유로 많이 꺼리는 것이 사실이다. VSM 대신에 간략히 '공정흐름'과 '자재흐름'의 레벨을 정해서 현재 수준을 파악하고 개선 방향을 쉽게 찾아갈 수 있는 방법이 있다. 공정흐름에 대한 수준을 정하려면 우선 설비배치의 기본 유형에 대한 이해가 필요하다. 설비배치 유형이 공정흐름에 영향을 많이 주기 때문이다. 설비배치 유형에는 네 가지가 있다.

첫째, '공정별 배치'다. 같은 기능을 가지고 있는 기계설비를 모아서 배치하며 기능별 배치로도 부른다. 주문이 들어오면 작업절차에 따라 필요한 설비를 찾아가서 작업할 수 있도록 설계한다. 가구제작 공장, 공작기계제작 공장, 병원, 자동차 수리 공장과 같은 다품종 소량생산에 적합하다.

둘째, '제품별 배치'다. 특정 제품을 생산하는 데 필요한 작업 순서에 따라 설비를 고정적으로 배치하는 형태다. 직선형이거나 전진적 작업흐름 라인으로 배치되어 있다. 자전거 조립공정이나 시멘트 제조공정과 같은 소품종 대량생산을 위한 반복생산공정 또는 연속생산공정에 적합하다.

셋째, '그룹별 배치'다. 공정별 배치와 제품별 배치의 혼합 배치형태로 이해하면 된다. 가공 또는 기술의 유사성에 따라 부품을 몇 개의 집단으로 나누고, 각 집단에 적합한 기계를 할당시켜 공통의 공구와 기계 및 작업방법을 이용해서 생산하는 방식이다.

마지막 넷째, '고정형 배치'다. 제품 부피, 형태, 무게 및 기타 특징 때문에 작업 순서에 따라 이동하면서 제작(조립)할 수 없는 경우의 배치 형태다. 항공기, 선박, 기관차, 아파트 건설을 생각하면 된다.

'공정흐름'에 대한 수준은 레벨1부터 레벨4까지 있다. 레벨이 높을수록 공정흐름이 좋음을 의미한다.

레벨1은 '제품/공정 난류'로 정의한다. 설비배치 유형에서 '공정별 배치'와 유사하다. 공정별로 작업지시(work order) 관리를 해야 하며, 흐름이 복잡해 재고관리에 어려움이 있다.

레벨2는 '제품 계열화'로 정의한다. 레벨1 수준에서 나아가 일부는 특정 제품에 대해 계열화가 되어 있다. 설비배치 유형에서 '그룹별 배치'와 유사하다. 여전히 공정별 작업지시 관리를 해야 하며,

풀 시스템(pull system)을 적용하면 정류화가 가능하다.

레벨3은 '정류화'로 정의한다. 작업지시가 단순하다. 마지막 공정에만 작업지시를 내리면 된다. 마지막 공정이 페이스메이커(pace maker, 속도조절공정) 역할을 해서 재공재고가 줄고 관리가 쉬워진다. 설비배치 유형에서 '제품별 배치'와 유사하다.

마지막 레벨4는 '한 개 흘리기'로 정의한다. 공정 간이 인라인(in-line) 형태로 동기화되어 있다. 리드타임이 줄어들고 공정 재고가 생기지 않는다.

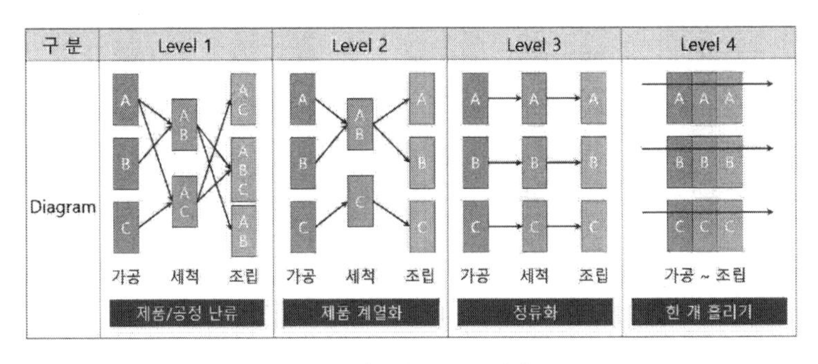

● 공정흐름 Level 정의

'자재흐름'에 대한 수준은 레벨1부터 레벨3까지 있다. 자재흐름의 레벨은 자재 핸들링, 즉 '들고 내리고 하는 행위가 얼마나 최소화되느냐?'에 좌우된다. 레벨이 높을수록 자재흐름이 좋음을 의미한다.

레벨1은 '부품별 배치'로 정의한다. 협력사에서 부품창고(또는 스토어)에 입고되고, 창고에서 라인으로 투입되는 전형적인 형태다. 피킹(picking, 자재를 준비하는 행위)과 보급이 복잡하다. 부품창고에서 라인으로 이동공수가 과다 투입되는 단점이 있다. 단, 협력사 결품을 미리 인식할 수 있는 장점도 있다.

레벨2는 '라인별 배치'로 정의한다. 라인별로 부품 스토어를 두어 협력사는 각자 지정된 장소로 공급한다. 피킹과 보급이 쉽고 이동공수가 작게 들어간다. 단점은 협력사 결품을 미리 파악하기가 곤란하다.

마지막 레벨3은 'Ship To Line'으로 정의한다. 중간에 부품창고를 없애고 협력사는 라인으로 바로 공급하는 '직납(直納)' 방식이다. 재고량을 최소화해 운영할 수 있고 부품 보급 인원이 필요 없다. 단, 협력사 납품지연은 바로 결품으로 이어지는 단점이 있다. 협력사의 공급능력이 뒷받침되어야 한다. 자동차 완성차 공장은 대부분 협력사 직납방식으로 운영한다.

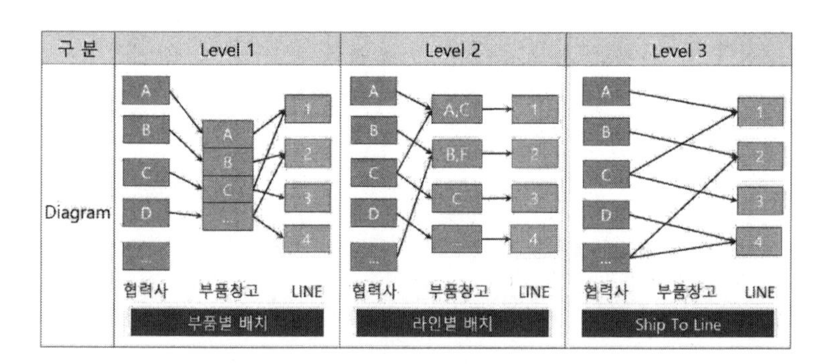

● 자재흐름 Level 정의

본인 공장의 흐름화 수준이 궁금한 독자들은 한번 스스로 공정흐름과 자재흐름에 대해 레벨을 파악해 보기 바란다. 위에 제시한 도해를 활용하면 그리 어렵지 않다. 수준을 정했으면 그다음 레벨을 1차 개선 목표로 잡으면 된다. 두 단계를 건너뛰는 것이 가장 좋은 혁신이지만 여간해서는 쉽지 않다. 한 단계, 한 단계 레벨업하면 된다.

흐름 라인을 만들어라

공장의 흐름이 나쁜 이유 중 하나는 근본적으로 흐름이 좋지 않게 설계됐기 때문이다. 레이아웃이나 설비배치가 잘못되어 있다는 말이다. 레이아웃이 나쁘면 물류흐름에 충돌이 생겨 여러 낭비를 유발한다. 좋은 레이아웃은 설비 또는 공정 간에 제품 운반과 취급을 최소화한다. 낭비를 즉시 발견할 수 있도록 설비를 배치해 생산의 흐름을 최적화한다. 라인 연결은 작업자 동선과 이동거리가 최소화되도록 레이아웃을 설계한다.

필자는 프로젝트를 시작하면 공장을 충분히 이해하고 문제를 구체화하기 위해 세 가지 분석을 먼저 시작한다.

첫째는 제품별 양을 파악하는 'PQ분석'이다. 얼마나 많은 제품을 어떤 방식으로 생산하는지 종합적으로 파악하고 대표제품을 정할 수 있다. (PQ분석에 대해서는 3장에서 자세히 설명하겠다)

둘째는 '가공경로 분석'이다. 아무리 다품종이고 경로가 복잡하다고 해도 가공경로 분석을 해보면 같은 흐름을 가진 제품군이 보인다.

셋째는 '물류 흐름분석'이다. 공장의 레이아웃을 한눈에 파악하고, 물류흐름이 좋은지 나쁜지 보기 위해서다. 물류 흐름분석은 '흐름선도'(flow diagram)를 그려보면 된다. 흐름선도는 공장 배치도(layout)에 자재가 투입되어 제품이 완성되기까지의 과정에 대해 실제 흘러가는 경로를 그려봄으로써 전체 레이아웃의 불합리와 운반, 정체의 낭비를 눈에 보이도록 하는 도구다. '스파게티 다이어그램(spaghetti diagram)'이라고도 부른다.

흐름선도를 그리는 방법은 의외로 간단하다. 공장 배치도를 놓고 그 위에 실제 물류흐름대로 선을 그리면 된다. 잠깐 머무르는 스토어나 라인사이드도 반드시 포함해서 그린다. 자재의 흐름과 제품(반제품 포함)의 흐름은 선의 색깔을 달리한다. 주의할 점은 실제 이동하는 경로대로 '직선'으로 그려야 한다. 공정이나 설비를 가로질러 가는 형태로 그리면 안 된다.

구토를 해본 경험은 누구나 있다. 흔히 '오바이트(overeat)'라고 부른다. 사람은 음식을 입으로 먹고 위에서 소화시킨 후 항문으로 대변이 배출되어야 정상이다. 오바이트는 입으로 먹은 음식이 식도를 거쳐 역으로 위(입)로 나오는 상황이다. 오바이트하면 힘들다. 눈물도 찔끔 난다. 마찬가지로 역물류도 공장을 힘들게 한다. 물류흐름상에 충돌이 일어나는 현상을 '난류' 또는 '혼류'로 부른다. 공장 전체를 놓고 봤을 때 대물류 흐름에 역행하면 난류로 본다. 또한 갔다가 다시 돌아오는 물류흐름도 난류다. 난류가 발견된 곳에 '폭탄' 모양을 그리면 흐름선도 분석이 끝난다.

흐름선도는 PQ분석에서 정한 대표품목으로 그리고, 추가로 가공 경로가 다른 제품군을 선정해 그려본다. 흐름선도는 물류흐름 상의 문제를 드러내는데 효과적이다. 생산 공정, 서비스 영역(병원, 식당 등)의 이동거리를 관찰해 최적의 레이아웃을 설정하는데 도움을 준다. 불필요한 이동을 줄이고 공정을 보다 효율적으로 만들 수 있는 배치에 대한 개선은 결국 그려보면 답이 보인다. 답을 정했으면 레이아웃을 바꿔 개선하면 된다.

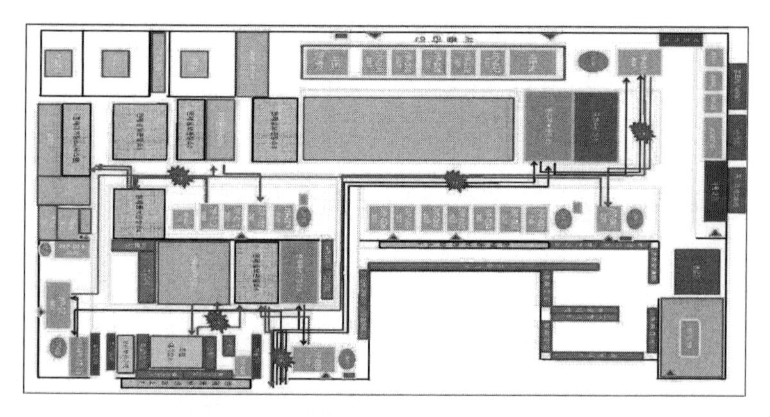

● **물류흐름선도. 흐름선도를 그리면 난류가 보인다.**

필자가 몇 해 전에 자동차 1차 벤더를 지도했던 사례를 소개하고자 한다. 충남 보령에 있는 F사는 자동차 핵심 부품인 '댐퍼(damper, 엔진의 크랭크축에 연결되는 필수 부품)'를 생산한다. 약

430명 정도의 인력에 매출 1,000억 규모의 회사다. 경기도 안산에 본사와 공장이 있다가 충남 보령에 캐파(capa)를 늘려 신공장을 건설하고 막 이전한 상태였다. F사가 의뢰한 내용은 그 이듬해에 도입하기로 계획되어 있는 'ERP·MES 구축을 위한 사전 현장개선'이다. 시스템 도입을 위한 PI 프로젝트로 보면 된다.

사전 진단을 해보니 물류흐름이 매우 나빠 보였다. 신공장을 건립하면서 레이아웃을 나름대로 검토했겠지만, 스스로도 미처 보지 못한 문제가 숨어 있었다. 신공장에 본격적으로 설비를 배치하고 공정을 가동하려는 시점에 레이아웃에 대한 문제를 그대로 안고 간다면 리스크가 매우 크다. 공장장도 필자가 제시한 문제를 가장 시급한 과제로 인식했다.

PQ분석을 통해 대표모델 4종을 정하고 가공경로를 분석했다. 공정 흐름은 '자재투입→서브(Sub) 라인→Ass'y 라인→출하'로 단순한 듯 보이나, 서브 라인에서 거쳐야 할 공정이 10개가 넘어 흐름이 매우 복잡했다. 대물류 흐름을 정하고 그에 역행하는 난류를 파악해 보니 Ass'y공정 이후의 흐름은 큰 문제가 없었다. 예상했던 대로 서브 라인에서 난류가 많았다. 다품종의 제품들이 믹스(mix)되어 흐르다 보니 정체도 많았다. 후보충 방식을 위한 반제품 스토어가 필요했다. 공정간 능력 차이를 고려해 기준재공량(min-max)을 정하고 스토어를 설계했다.

가장 큰 난관은 스토어의 위치를 잡고 레이아웃을 바꾸는 것이었다. 8명으로 구성된 프로젝트팀을 꾸리고 머리를 맞댔다. 총 6개의 레이아웃 변경안을 도출하고 장단점을 분석했다. 레이아웃 변경에서 가장 난관은 변경안을 확정하는 작업이다. 위치를 바꾸면 하나는 좋아지지만 다른 하나는 나빠지기 때문이다. 변경에 따른 비용, 변경하는 동안 생산 가동에 대한 영향(생산을 못 하는 우려. 물량이 많을 때는 생산 중단에 대한 부담이 크다) 등도 중요 고려사항이다. 대안을 결정할 때는 어떤 방법이 최적인지를 판단해야 한다. 판단 기준은 대물류 흐름에 최대한 부합하는 배치가 무엇이냐다. 6개의 대안에 대해 장단점을 철저히 분석하고 프로젝트팀에서 합의된 최종안을 제시했더니 공장장이 의사결정을 신속하게 해줬다.

또 다른 문제가 보였다. 제품 중량이 무겁고 대로트로 운반해 지게차가 현장을 누비고 다녔다. 이런 상황은 중소기업에서 자주 보는 모습이다. 라인에는 지게차가 들어가면 안 된다. 작업자의 안전사고 때문이다. 필자는 현장에서 크고 작은 안전사고를 많이 보았다. 안전사고는 불량 하나 난 것과는 차원이 다르다. 불량이 나면 수리하거나 폐기하면 그만이지만, 안전사고는 사람의 생명을 위협하기 때문이다. 안전사고 나면 회사 분위기도 나빠진다. 심한 경우 지게차가 작업자를 쳐 작업자는 병원 중환자실에 입원하고, 공단으로부터 라인 가동 중단이라는 중징계를 받은 공장도 봤다.

"라인에는 지게차가 들어가면 안 됩니다."라고 말하면 현장관리자는 이렇게 답한다. "저희는 제품이 중량물이라 지게차 안 쓰고는 안 됩니다."

해결책은 의외로 간단하다. 한 번에 운반하는 양을 줄여 소로트로 운반하면 된다. 피치타임(pitch time) 기준으로 필요한 양만큼만 사람이 밀고 갈 수 있는 운반 대차를 사용하면 된다. F사의 경우도

한 시간 물량만큼만 담을 수 있는 대차를 만들어 모든 공정과 공정 간의 운반은 대차로 바꿨다. 하역장에서 자재보관소까지, 완제품 보관소에서 출하장까지만 지게차를 사용토록 했다. 단, 라인 내에서는 Ass'y공정에서 완제품 보관소까지의 중앙통로만 지게차 운행을 허용하기로 원칙을 정했다. Ass'y공정이 완료된 제품은 고객사 납품 파렛트에 담기 때문이다. 사람 힘으로 이동이 불가능했다.

● 라인에는 지게차가 들어가면 안 된다. (출처: 〈MBC 다큐프라임〉)

스토어 설치를 포함한 레이아웃을 변경하고, 소로트 운반으로 전환하니 물류흐름이 단순화되고 난류가 대부분 해소되었다. 프로젝트는 성공적으로 마무리되었고 대표이사와 임원진도 매우 만족해했다.

F사의 공장장은 필자의 기억에 오래도록 남는 경영자다. 8개월 동안 필자가 지도하는 날이면 아침부터 마칠 때까지 같이 프로젝트 팀을 리딩해주었다. 필자가 숙제를 점검하면 부진한 사항에 대해 직

접 직원들에게 일일이 피드백 했다. 가끔씩 정신 번쩍 들 정도로 꾸지람도 주었다. 프로젝트를 끌고 나가는 입장에서 엄청나게 도움이 됐다. 역시나 공장혁신은 경영자(특히, 공장장)가 꽉 잡고 가야 성공한다.

흐름화 설계에 있어서 레이아웃 못지않게 물건의 흐름을 좌우하는 것이 라인이다. 라인은 공정과 공정 간의 밸런스가 맞아야 한다. 이를 '라인 밸런싱(line balancing)'이라 부른다. 라인 밸런싱은 시장 수요에 탄력적으로 대응하고 신속한 제조흐름을 만들기 위해 유연한 생산라인을 구축하는 기법이다. 흐름라인 구축에 걸림돌이 되는 병목 공정을 해소하기 위해 공정과 작업을 개선하는 활동이다. 작업자가 최소의 동작으로 주저 없이 물 흐르듯 리드미컬(rhythmical)한 반복 작업이 이루어지게 한다.

공정과 공정 간에 밸런스가 맞지 않으면 대기나 정체가 생기고 흐름화가 되지 않는다. '라인 개선'이란 생산라인의 낭비를 제거하고 흐름화를 구현하는 개선활동이다. 또한 설비배치, 자재흐름, 작업자 이동거리 등을 최적화해 낭비 없는 생산라인을 만들기 위함이다. 낭비를 가시화해 공정간 밸런스가 좋아지면 자연히 생산성이 향상된다.

낭비를 가시화하는 방법은 '피치 다이어그램(pitch diagram)'을 그리는 것이다. 피치 다이어그램은 공정별 사이클 타임으로 그린 막대그래프로 이해하면 된다. 피치 다이어그램을 통해 LOB를 계산할 수 있다. LOB는 'Line Of Balance'의 약어로 '라인편성효율'로 부른다. 낭비의 정도를 나타내는 LOB를 계산하는 공식은 '{공정시간의 합/(애로공정 사이클 타입 × 작업자의 수)}'이며 단위는 %이다. 다음 그림에서 LOB를 계산해보면 75%(=140초/(17초×11명))이다. 이 값은 전체 면적에서 막대그래프가 차지하는 면적의 비율과 같다. 나머지 여백의 면적이 25%이며, LOB의 최종 목표는 100%다.

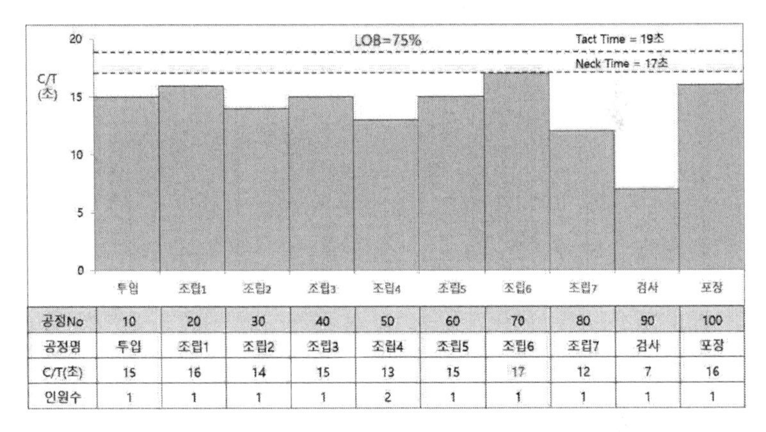

공정No	10	20	30	40	50	60	70	80	90	100
공정명	투입	조립1	조립2	조립3	조립4	조립5	조립6	조립7	검사	포장
C/T(초)	15	16	14	15	13	15	17	12	7	16
인원수	1	1	1	1	2	1	1	1	1	1

● LOB 계산은 피치 다이어그램을 그려야 한다.

피치 다이어그램에서 반드시 그려야 하는 2개의 선이 있다. 하나는 애로공정의 작업시간(neck time), 다른 하나는 택트타임(tack time)이다. 택트(takt)는 리듬을 뜻하는 독일어로 고객의 소비 속도, 즉 고객이 제품을 구매하는 속도다. 네크타임이 택트타임보다 빠르면 라인에 여유가 있다는 의미이다. 더 느리면 규정시간 내에 고객 요구를 충족할 수 없어 잔업이나 특근으로 보충해야 한다. 2개의 선을 통해 택트타임과 네크타임의 차이가 어느 정도인지 분석해 봐야 한다.

'조립업종'은 한 명의 작업자가 수행하는 단위시간당 작업량이 대체로 일정하다. 작업의 결합과 분할이 비교적 용이하며 LOB가 매우 중요하다. 반면에 '가공업종'은 각 기계의 단위시간당 가공능력이 불균형하다. 기계가 주도적이며 사람과 기계의 작업량은 일정하지 않다. 라인 밸런스도 필요하나 부하균형이나 흐름화 레이아웃이 더 중요하다. 일반 조립업종에서 LOB 수준은 85% 이상 정도면 나쁘지 않다고 판단한다. 요즘은 생산기술력이 높아져 90% 이상 되어야 LOB가 좋다고 보는 추세다.

LOB 개선을 위한 'ECRS' 원칙을 소개한다. ECRS는 LOB 개선 활동을 배제, 결합, 재편성, 단순화의 네 가지 관점에서 생각하는 것이다.

첫째, '배제(Eliminate)'의 원칙이다. 불필요한 공정이나 작업을 없애거나 생략하는 개선이다. 모든 개선에 있어서 가장 먼저 생각하고 적용해야 할 원칙이다.

둘째, '결합·분리(Combine)'의 원칙이다. 공정이나 부품, 재료 등을 결합해 좀 더 간단하고 단순한 형태로 접근하는 방법이다. 결합으로 인한 배제(생략)도 가능하다.

셋째, '재편성(Rearrange)'의 원칙이다. 공정이나 작업 순서를 변경하거나 재배열하는 개선을 말한다.

마지막 넷째, '단순화(Simplify)'의 원칙이다. 공정이나 작업, 수단, 방법을 간단하게 하거나 이동거리를 짧게 하는 등의 개선이다.

LOB 개선을 위해서는 가장 먼저 분석을 통해 공정이나 작업을 재편성한다. 공정 간에는 도움작업을 설정해 표준작업화 한다. 가능하면 작업자를 근접 배치한다. 가까이 있으면 작업 밸런스를 맞추기 쉽기 때문이다. 작업영역은 최소한으로 축소하고 투입과 배출은 한 사람이 담당토록 한다. 부품은 사용하는 위치, 즉 작업점 가까이 공급한다. 공정 내에 재공재고를 둘 수 있는 공간을 축소하는 것도 방법이다. 작업자는 입식(立式) 작업이 원칙이다. 움직이기 쉽고 불균형한 작업을 서로 도와가며 할 수 있으며, 다공정을 담당하기 쉽기 때문이다.

LOB 개선은 애로공정(neck)의 사이클 타임 단축이 최우선이다. 사이클 타임을 줄이는 여러 가지 방법이 있다. 대표적으로 설비개선, 작업간소화, 작업재배치, 자재배치, 투입개선, 동작개선, 외주화, JIG개선, 공기구 개선 등을 추천한다.

앞서 말했듯 LOB는 시장수요에 유연한 생산라인을 구축하는 것이 궁극의 목표다. 2011년부터 3년간 광주광역시에 위치한 삼성전자 생활가전사업부의 1차 협력사 6개사를 지도한 적이 있다. 생활가전은 계절적 수요 변동이 크다. 여름에는 에어컨이 많이 팔리고, 겨울에는 김치냉장고, 봄가을이면 냉장고와 세탁기 같은 혼수가전이 많이 팔린다. 경쟁이 치열하기로 유명한 업종이 생활가전이다. 1차 협력사라 하지만 생활가전 협력사는 사출, 프레스 등 열악한 편이다. 단가를 넉넉히 주지 않기에 넓은 공장에 여유 있는 인력으로 라인 운영하기가 여간 쉽지 않다. 철이 바뀔 때마다 라인을 다시 꾸려야 하고, 모자란 인력은 용역으로 메꿔야 한다. 팔색조 라인이 필요해서 LOB 개선을 많이 했던 기억이 있다.

물량이 늘어나면 고객이 제품을 구매하는 속도가 빨라져 택트타임이 줄어든다. 택트타임이 줄어들면 인원을 더 투입해서 사이클 타임을 줄인다. 반대로 주문이 줄어들면 택트타임이 늘어난다. 택트타임이 늘어나면 인원을 줄여 사이클 타임을 늘린다. 택트타임 변경에 따라 작업자수를 비례적으로 변경할 수 있어야 유연한 생산라인이다. 이를 '소인화(少人化)'라 부른다.

이상 상황에 신속히 반응하라

예전에 지도한 W사의 경영자에게서 과거 대기업(S중공업)에 근무했을 때 이야기를 재미있게 들었다.

"라인에서 문제가 생기면 사무실에 설치된 스피커에서 노래가 흘러나옵니다."

"햇볕은 쨍쨍 모래알은 반짝, 모래알로 떡 해놓고 조약돌로 소반 지어……." 우리가 어릴 때 많이 듣던 동요다.

"이 노랫소리가 들리면 현장에 비가동이 걸렸다는 신호입니다. 바로 현장으로 뛰어 내려가 봐야 합니다. 사무실에서 좀 버텨볼라치면 노랫소리가 어찌나 큰지 안 가고는 못 배길 정도입니다."

알람(alarm)을 노랫소리로 대신해놓은 듯하다.

● 이상을 바로 알 수 있게 하는 안돈(Andon) 시스템

현장은 살아 움직이기에 예기치 못한 돌발 상황이 늘 상존한다. 대표적인 상황이 자재 결품, 설비 이상, 품질 이상, 생산 대기 등이다. 문제가 생기면 열일 제쳐두고 대응해야 한다. 대응은 문제가 발생했다는 상황을 인지하는 것에서 시작한다.

문제가 생긴 상황을 바로 알 수 있게 하는 체계가 '안돈(andon)'이다. 안돈은 TPS에서 널리 알려져 지금은 많은 기업이 도입하고 있다. 도요타 공장 안에는 생산라인 위로 정보판이 있는데 이를 안돈이라 한다. 안돈은 행등(行燈), 즉 옛날 어두운 길을 갈 때 안내하는 조명기구를 말하는 용어다. 바람이 불거나 하면 불이 꺼져서 직육면체 모양으로 창틀처럼 만들어 문풍지로 붙여서 들고 다닐 수 있게 했다.

안돈이라는 용어는 '호롱불'에서 유래했다. '반딧불'이라는 설도 있다. 도요타 공장에서 "이상 발생에 전등불을 켜니 불빛이 희미해서 마치 호롱불(안돈)처럼 보이더라."고 했단다. 이때부터 이상발생

등(lamp)을 '안돈'이라 불렀다.

안돈은 자동화 설비의 고장이나 자동화가 곤란한 설비가 불량을 만들어낼 때를 대비한 것으로 공장 안에서 이상이 발생한 상황을 알리는 램프다. 이 개념을 적용한 것이 잔칫집 앞에 달았던 청사초롱이나 야구장의 점수 전광판 같은 형태다. 야구 관람할 때 전광판만 보면 경기 진행 상황을 한눈에 알 수 있듯이 생산 현장에서도 생산 진행 상태를 바로 알 수 있도록 만든 도구가 안돈이다. 현장관리자가 자신이 담당하는 설비, 작업자, 품질이 정상적으로 운영되고 있는지를 한눈에 파악할 수 있도록 만든 도구다. 경광등, 신호표시, 전광판을 주로 사용한다.

안돈에는 호출안돈, 이상안돈, 가동안돈, 진도안돈 등 네 가지 종류가 있다. 호출안돈은 특별한 문제가 발생했을 때 감독자를 부르거나 부품을 호출하는 안돈이다. 이상안돈은 불량이 발생했거나 택트타임 준수가 어려울 때 사용한다. 가동안돈은 기계 가동상태를 나타내며 가동, 고장, 준비교체, 계획정지 등을 표시한다. 진도안돈은 생산계획 수량과 실제 생산현황을 알려준다.

작업자는 작업 중 이상이 발생하면 호출 버튼을 누른다. 공장에서 가장 눈에 띄는 장소에 설치된 현황판(모니터)에 어느 공정이 이상이 있는지 나타난다. 동시에 알람이 울리기도 한다. 현장관리자는 현황판에 표시된 이상을 확인하고 해당 작업장으로 가서 문제 해결을 도와준다. 안돈시스템은 눈으로 보는 관리를 가능하게 한다. 생산과정 진행 상황을 말 그대로 '눈으로 볼 수 있도록' 하는 방법이다. 현장에서 발생할 수 있는 모든 문제를 쉽게 보면서 관리할 수 있다. 눈으로 보는 관리가 쉬워져 현장관리자나 작업자가 생산 공정에 대해 의무감을 가지고 스스로 관리하는 수단이 된다.

도요타에는 작업자가 반드시 지켜야 할 두 가지 수칙이 있다. 세 가지, 네 가지도 아니고 딱 두 가지다. 수칙1은 '매일 출근하라.'이고, 수칙2는 '문제가 생기면 줄을 당겨라.'이다. '매일 출근하라.'는 수칙은 생산 일정이 촘촘하고 빡빡하게 짜여 있으니, 아침에 갑자기 전화해서 출근 못 한다고 하지 말라는 의미다. '문제가 생기면 줄을 당겨라.'는 수칙은 이상 상황이 발생하면 안돈 시스템을 가동하라는 의미다. 줄을 당기는 순간 안돈시스템이 가동된다. 작업자는 라인을 세우는 것도 일이라고 교육받는다. 현장관리자는 라인을 세우지 않게 하는 것이 일이다.

● 문제가 있으면 줄을 당겨라. Andon Cord

TPS의 안돈이 린에서는 'QRS'로 발전했다. QRS는 'Quick Reaction System'의 약어로 '이상반응시스템' 또는 '신속대응시스템'이라 부른다. 문제가 생기면 민감하게 반응하고 신속하게 대응해야 한다. 불이 난 상황을 상상해 보라. 불나면 제일 먼저 발견한 사람이 '불이야!'를 외칠 것이고, 이를 들은 사람들은 모두 불난 곳으로 달려가야 한다. 우리 공장은 불이 난 상황처럼 현장의 돌발 상황에 대해 민감하게 반응하고 신속하게 대응하고 있는가?

'강 건너 불구경'이라는 속담이 있다. 자기와 직접적인 관계가 없다고 아무런 행동도 하지 않고 지켜보기만 하는 수수방관하는 태도를 말한다. 마을에 불이 나면 내 집으로 옮겨붙을까 봐 불티를 뒤집어써 가며 모두 같이 불을 끈다. 하지만 강 건너편에서 난 불은 이쪽으로 넘어오지 못하니, 몸부림치고 아우성치는 화마가 강물에 어룽거리는 대단한 볼거리일 뿐이다.

우리 공장이 '강 건너 불구경' 하는 분위기라면 망조(亡兆)다. 망조가 든 공장을 보면 '라인 정지' 같은 문제가 발생해도 그 상황을 심각하게 생각하지 않는다. 늘 그래왔다고 만성이 된 듯하다. 문제가 생겨도 그건 '내 문제가 아니다.' '누가 해결하겠지…….' 하는 분위기가 팽배하다. 라인에서 발생한 급한 일을 '강 건너 불구경'하듯 한다. 앞으로가 더 심각한 이유는 지금 발생한 문제가 머지않아 또다시 발생하기 때문이다. 모두 달라붙어 문제를 일으킨 근본 원인을 찾아 해결하려는 노력이 부족해서다.

이상반응시스템(이하 'QRS'라 한다)은 어떻게 작동해야 하는지 알아보자. 현장에서 문제가 생기면 먼저 작업자는 현장관리자를 호출한다. 호출 방식은 MES에 문제를 등록하거나, 별도로 설치된 호출버튼을 누르면 된다. 호출하면 안돈이 가동된다. 호출 등이 깜빡이거나, 사이렌 소리 같은 호출 벨이 울리기도 한다. 예전에 어떤 공장에서 호출 벨(안돈 시스템)이 아예 꺼져있는 모습을 본 기억이 있다. 매번 '삐요, 삐요'거리니 시끄럽다고 누가 전원 코드를 아예 빼놓은 거다. 비싼 돈 주고 시스템 도입해놓고 애물단지로 전락한 전형적인 케이스다.

현장의 이상 상황은 만드는 제품이나 업종에 따라 차이가 있지만 보통 네 가지 유형으로 분류한다. 자재 결품, 설비 이상, 품질 이상, 생산 대기 등이다. 현장관리자는 작업자 호출에 신속하게 문제가 발생한 공정으로 가서 진짜 문제인지 확인한다. 작업자가 잘못 판단했을 수도 있기 때문이다. 간단한 응급조치로 해결되는 문제는 현장에서 바로 즉조치 한다. 자체 해결하는 것이다. 즉조치가 불가능한 문제는 MES에 비가동 정보를 입력하고 '확인' 버튼을 누른다. 등록된 문제에 대한 승인과 함께, 공식적으로 귀책부서에 지원요청이 된 상황이다.

MES 등록 작업은 '태블릿(tablet) PC'를 활용한다. 태블릿 PC는 집마다 있다고 해도 과언이 아닐 만큼 널리 보급되어 있다. 제조 현장에서도 많이 쓴다. 작업자 입력 이후부터 현장관리자 확인까지의 소요시간을 '생산 활성도(活性度)'라 부른다. 당연히 이 시간이 짧아야 된다. '생산 활성도가 좋다(시간이 짧게 걸린다).'는 의미는 발생한 문제에 현장관리자가 신속하게 대응하고 있음이다.

현장관리자 MES 입력과 동시에 문제 유형에 따라 귀책(歸責)부서 사무실에 안돈이 가동된다. 귀책부서 사무실에 비가동 알람이 울리거나, 모니터링 화면이 비가동 발생을 알린다. 예를 들어 등록된 문제가 '자재 결품'으로 등록되면 자재관리팀 사무실에 안돈이 가동된다. 동시에 등록된 비가동과 관련된 스텝(관리자)들에게 문자(SMS)가 발송된다. MES에 담당자 전화번호가 기준정보로 들어가 있어서 비가동이 등록되면 MES가 자동으로 담당자에게 문자를 송신하는 것이다. 이도 모자라 MES 직원(가상 직원)이 '신규로 비가동 등록되었다'는 내용으로 자동 메일을 발송한다. 문자서비스나 메일서비스 모두 비가동 발생공정, 발생시간, 주요 내용 등의 정보를 담고 있다. 이와 같이 작동하는 시스템이 없으면 나중에 담당자가 딴말하기 좋다. '늦게 알았다.'거나 '미처 몰랐다.'는 핑계를 원천 차단하는 방법이다.

비가동 발생이 인지되면 담당 스텝은 바로 현장으로 달려간다. 현장에서 안돈을 바로 해제하고 대상 문제의 현상과 원인을 파악한다. '3현(三現)주의'를 따라야 하기 때문이다. 3현주의는 현장(現場)에서 현물(現物)을 관찰하고 현실(現實)을 인식한 후에 문제 해결방안을 찾아야 한다는 원칙이다. 일본 혼다자동차의 창업자 '혼다 소이치로(本田宗一郎)'가 회사의 기본이념으로 채택하면서 유명해졌다.

문제 해결방안이 정리되면 태블릿 PC를 활용해 MES에 대책방안을 입력한다. 누가 언제까지 무슨 조치를 하겠다는 내용이다. 입력 후 '확인' 버튼을 누른다. 조치를 시작한다는 의미다. 현장관리자 입력 이후부터 귀책부서 조치 시작까지의 소요시간을 '지원부서 활성도'라 부른다. 당연히 이 시간도 짧아야 된다. '지원부서 활성도가 좋다(시간이 짧게 걸린다)'는 의미는 발생한 문제에 귀책부서가 신속하게 대응하고 있음이다.

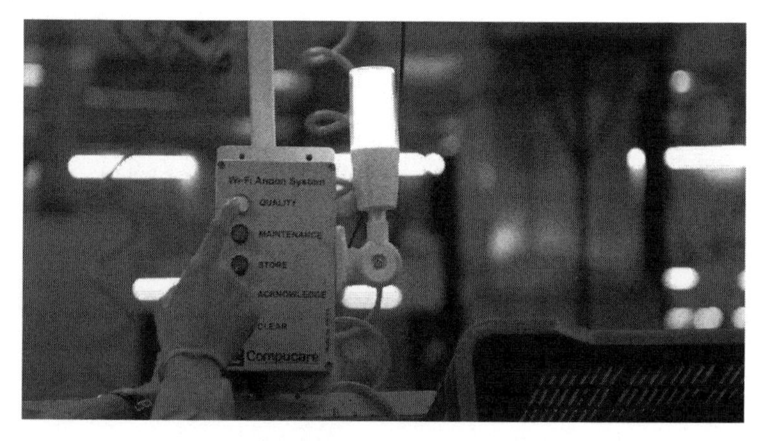

● 안돈호출장치. 문제가 생기면 버튼을 누른다. (출처: Compucare)

'QRS 종합 활성도'는 생산 활성도와 지원부서 활성도의 합으로 측정한다. 예를 들어 생산 활성도가 10분, 지원부서 활성도가 20분이라면 QRS 종합 활성도는 30분이 된다. MES에서 자동으로 집계되고 분석된다. QRS 활성도는 공장 레벨의 지표는 아니지만 공장 전체의 흐름 개선과 효율성 향상에 크게 기여한다. 관리지표로 설정하고 목표를 잡아서 꾸준히 단축하려는 노력이 필요한 이유다.

필자가 지도한 D사의 경우 20분이 목표다. 2017년 QRS 활동을 처음 시작할 시점에는 한 시간 넘게 걸렸지만, 지금은 20분에 초근

접해 있다. QRS 활성도 저해요인을 찾아 꾸준히 개선한 결과다.

등록된 비가동에 대한 조치가 완료되면 MES에 조치결과를 입력한다. 현장관리자가 입력 내용을 최종 확인하면 비가동이 비로소 종료된다. 귀책부서 조치 시작부터 조치 완료까지의 시간도 측정해야 한다(이 활동을 QRS의 범위에 넣지는 않는다). 이 시간이 바로 비가동시간이며 흐름을 저해하고 생산효율을 깎아 먹는 결정적 주범이다.

MES 직원(앞서 말한 가상 직원)이 주요 스텝들에게 매주 비가동 내역을 메일로 발송한다. 자동 메일링 기능을 걸어뒀기 때문이다. 수신자는 중역을 포함한 경영진도 포함이다. 비가동 발생이 몇 건인지, 어느 부서 귀책이 가장 많은지, 어느 건이 종료가 안 돼 지연되고 있는지, 비가동 건별로 담당자 이름이 모두 표시되어 있어 공개적으로 압박을 준다. 빨리 조치 안 하고는 못 버티게 만든다. 전체에 공유되는 경고성 메일에 내 이름 계속 나오면 얼굴 화끈거려 어디 회사 다니겠는가.

QRS에서는 현황판이 유용한 역할을 한다. '라인 현황판'은 MES에 입력한 공정의 이상 호출 정보를 쉽고 명확하게 전달한다. 이상 호출 라인과 비가동 발생 후 경과시간이 화면에 표시된다. '종합현황판'은 공장 내 작업장(work center) 전체의 가동현황을 알려준다. 공장 전체 레이아웃을 활용해 이상 호출, 라인 정지가 어느 작업장에서 발생했는지 화면에 표시한다. '모니터링 현황판'은 비가동 발생 건수, 조치 미시작 건수, 조치 시작 건수를 귀책부서별로 화면에 표시한다. 현황판은 일종의 대시보드(dashboard) 역할을 한다.

● QRS 모니터링 현황판 (출처: 두산산업차량)

QRS에서 마지막 'S'는 단어 그대로 시스템이라 MES에서 구현하는 방식이 가장 바람직하다. 하지만 MES가 없어도 충분히 이상 반응 체계를 갖출 수 있다. MES는 좀 더 효과적으로 대응하도록 거들뿐이다. 시스템 없다고 QRS 못한다고 하면 핑계다. 현장이나 사무실이나 모두 라인에서 발생한 문제에 관심을 가져야 한다. 이상 상황에 민감하고 신속하게 조치하려는 마음가짐이 우선이다. 시스템이 있고 없고를 떠나 문제에 둔감하고 이 핑계 저 핑계 대는 상황이 더 나쁘다. 다만 작금은 4차 산업혁명 시대다. 스마트팩토리는 할지 말지 선택의 문제가 아니라, 그냥 시대의 흐름이다. QRS는 MES에 장착해 운영하기를 권한다.

비가동을 최소화하라

QRS는 생산라인의 이상 발생 현황을 신속하게 전파하고 공유해 발생된 문제점을 신속히 조치하기 위한 대응체계다. 생산흐름을 개선해 공장 생산효율을 높일 수 있다. QRS가 가동되어야 할 대표적인 상황은 '자재 결품, 설비 이상, 품질 이상, 생산 대기' 등이다. 업종과 상황에 따라서 '안전사고'를 추가하기도 한다.

첫째는 자재 부족과 같은 '자재 결품'이다. 자재는 생산에 있어서 중요한 투입 요소다. 자재가 없으면 생산이 중단된다. 자재공급이 불안정하면 택트타임을 맞추기가 어렵다. 자재를 필요 이상으로 많이 공급하면 라인 사이드에 재고가 많이 쌓인다. 공급된 자재가 문제가 있어도 생산에 지장을 준다. 자재 이상은 결품은 물론 보급 누락, 보급 지연, 보급 오류 등으로 인해 생긴다.

자재 결품을 최소화하기 위해서는 우수한 자재보급체계를 갖춰야 한다. 자재보급체계는 크게 세 가지 형태로 운영된다. '순위 보급' 'Lot 보급' 'Set 보급'이 대표적이다. 대물(大物)의 경우 1개씩 순서에 맞게 순위로 보급한다. '순차 보급' '서열 보급'이라고도 부른다. 대물이기에 대부분 지게차나 전용 대차를 이용해 운반한다.

벌크품 같은 소물(小物)은 묶어서 로트화해 보급한다. 로트 형태이기에 플라스틱 박스나 철제 팔레트(pallet)에 정해진 수량만큼 담아서 운반한다. 대물도 소물도 아닌 중물(中物)은 작업에 용이하게 세트화해서 보급한다. Set 보급은 바퀴 달린 전용 대차를 활용한다. Set 보급은 '밀크런(milk-run)' '마샬링(marshalling)'으로도 부른다. Set 보급용 전용 대차를 '마샬링 카트(cart)'라고 부르는 이유다.

밀크런은 우유배달을 연상하면 이해가 쉽다. 골프를 치는 분들은 필드에서 한번쯤은 들어봤을 것이다. 앞 팀이 밀리거나 우리 팀이 속도가 눈에 띄게 늦으면 누군가가 카트 타고 쏜살같이 달려온다. 경기 진행속도를 조절하는 사람을 말한다. 밀크런이 오면 캐디가 살짝 긴장한다. 아마도 진행을 빨리빨리 못 했다는 이유로 후에 문책이나 평가를 받기에 그럴 듯싶다.

마샬링의 사전적 의미는 '컨테이너 야드에서 컨테이너 화물을 컨테이너선에 싣거나 컨테이너선에서 내리기 쉽도록 정렬하는 일'이다. 원래 마샬이란, 말을 지키거나 축제 준비를 위해 물건들을 가지런히 하는 것을 가리킨다. 군(軍)에서의 마샬링은 전투준비를 위해 군대를 모으고 정렬시키는 것을 의미한다. 부대와 부대 사이에 위치해 있는 병참부대에서 보급품을 준비해 정렬하는 행위를 마샬링이라 불렀다. 전쟁 중에 군수물자를 신속하게 보급하기 위해 야드(yard)에 줄 세워 놓은 모습을 떠올리면 쉽게 이해된다.

원활한 자재보급을 위해서는 정확한 생산계획의 공유, 피킹작업 지시에 따른 신속한 피킹작업, 표준에 준한 보급작업이 기본이다. 물건 만드는 작업표준은 만들어도 보급작업에 대한 표준은 없는 경우가 많다. 왜 만들어야 하는지 필요성도 못 느낀다. 더 심한 경우는 보급작업자 운영 없이 작업자가 직접 가져다 쓰는 경우다. 열악한 중소기업에서는 별도의 보급 인원 운영이 부담되는 게 사실이다. 하지만 보급체계 운영을 통한 생산성 향상 효과는 보급작업자 인건비를 상쇄하고도 남는다.

둘째는 설비고장과 같은 '설비 이상'이다. 설비는 제조업에 있어서 그 비중과 중요도가 날로 높아진다. 장시간 고장 난 설비, 잠시 멈춘 설비, 잘 인식되지 않는 순간 정지나 공회전은 설비효율을 낮추고 당연히 흐름을 나쁘게 하는 단골 주범이다. 설비문제로 인한 고장 정지인 경우, 고장 정지가 다발성인 경우, 단순고장이나 현장에서 해결할 수 없는 등의 경우에 QRS를 가동하면 된다.

설비고장을 최소화하기 위해서는 효과적인 설비보전 활동이 답이다. 이미 TPM(Total Productive Maintenance, 전사적 설비보전) 활동은 널리 알려져 있다. 고장은 일상적으로 쉽게 발견되지만, 모든 고장은 숨겨진 원인의 결과로 발생한다. 사소한 설비 결함은 일반적으로 감지되지 않지만 대부분 모든 장비 고장의 원인이 된다. 마모, 진동, 먼지, 오염, 누유, 부식 등과 같은 숨겨진 원인들로 인해 장비 고장과 손실이 발생되는 것이다. TPM은 치명적인 설비고장으로 연계되기 전에 사소한 설비 결함을 발견하고 이를 조치하는 활동을 지속적으로 추진하는 데 초점을 둔다.

TPM은 설비 가동률을 높여 생산효율을 극한으로 올리기 위한 설비중심의 활동이다. 설비효율을 저해하는 모든 낭비 요소를 개선하는 활동이다. 생산설비를 대상으로 불량제로, 고장제로 등 모든 낭비를 줄이기 위해 경영자부터 현장작업자에 이르기까지 전원이 참여하는 활동이다. TPM은 크게 자주보전과 계획보전 중심으로 전개한다. 자주보전은 현장작업자를 중심으로 '설비 기본준수'와 '설비 불합리 개선' 활동이 주축이다.

'설비 기본준수' 활동은 설비별 현상분석을 통해 점검항목을 선정하고, 청소점검급유기준서를 작성한 후 연간·월간 카렌더(calendar) 작성 순으로 진행한다. 먼저 설비현상을 분석해 설비등급을 결정한다. 분류기준은 설비고장시 대체 방법 또는 대체 설비가 있는지, 설비고장시 타 공정에 영향이 큰지, 수리 난이도, 과거 고장빈도와 고장시간, 환경안전에 미치는 영향, 설비 노후상태 등을 종합해 판단한다. A등급은 중요도가 높은 설비로 자주보전, 예방보전, 예비품관리, 고장지표 관리까지 모든 활동을 집중한다. B등급, C등급으로 갈수록 중요도가 떨어지므로 관리 수준을 A등급에 비해 낮추면 된다.

자주보전에서 가장 중요한 활동은 청소점검급유 기준을 정하고 설정된 기준에 따라 실질적인 점검활동을 수행하는 것이다. 자주보전 활동의 주체는 누가 뭐래도 작업자다. 설비고장이 잦고 체계적

TPM 활동이 안 되는 공장을 보면 대부분 작업자 저항이 크다. 본인은 작업만 하면 되지, 설비 청소하고 점검하는 일은 본인 일이 아니라고 생각한다. 그건 설비담당자가 할 일이라고 주장한다.

가장 빠른 대책은 고장으로 이어지기 전에 손을 쓰는 것이다. 기계장치나 설비가 한꺼번에 고장 나는 일은 거의 없고 서서히 고장에 이른다. 온도가 점점 높아지거나, 소리가 조금씩 커지거나, 진동이 늘어나거나, 마모량이 늘어나는 등의 징후가 반드시 있다.

설비 트러블이 생기면 작업자가 가장 먼저 알아차린다. 평소에 들리지 않던 소음이 들린다든지, 평소보다 진동이 심하다든지, 설비 표면에 기름이 살짝 보인다든지 등 이런 증상은 설비와 항상 같이 붙어 있는 작업자가 가장 먼저 알 수밖에 없다. 자주보전 활동이 제조기술 또는 설비담당자가 아닌 작업자가 주체가 되어야 하는 이유다.

작업자 교육과 인식이 부족하고 자주보전 활동이 형식적인 공장은 '설비점검 체크시트'를 보면 대번에 안다. 점검은 하지도 않고 체크시트에 동그라미(O)만 그린다. 필자는 TPM 활동 수준을 평가할 때 현장에서 작업자에게 직접 물어본다. "설비점검하고 계세요?" "설비점검 항목이 뭐에요?" "아! 그거 어떻게 점검하세요?" 등 몇 마디만 물어보면 작업자 얼굴이 빨개진다. 하지도 않은 일에 잘하고 있다고 표시만 하는 격이다. 물론 작업자 잘못도 있지만 근본적인 문제는 관리자에게 있다. 현장작업자가 제대로 자주보전을 수행할 수 있도록 교육훈련과 실질적인 점검기준서 제공이 미흡해서다.

'설비 불합리 개선' 활동은 자주보전과 설비운전과정에서 발견되는 불합리를 개선해 설비를 바람직한 모습으로 유지하는 활동이다. 불합리 종류는 '발생원'과 '곤란개소'가 있다. 우리가 청소하는 이유는 청소하면서 자연스럽게 점검이 되기 때문이다. 자가용 셀프세차하면서 '문콕 테러' 발견한 경험이 있을 것이다. 자동세차하거나 손세차 맡기면 본인은 절대 알 수 없다. 청소하다 보면 자연스럽게 먼지나 오염이 발생하는 곳을 발견하게 된다. 이를 '발생원'이라 하며, 찾았다면 발생 근원을 손쉽게 없앨 수 있다. 자주보전을 진행하다 보면 자연스럽게 청소, 점검, 급유가 어렵거나 불편한 곳을 발견하게 된다. 이를 '곤란개소'라 한다. 적절한 청소도구를 개발한다든지, 점검방법이나 급유방법을 효율적으로 바꾼다.

셋째는 부품 불량과 같은 '품질 이상'이다. 작업에 투입된 외주부품이 불량이거나 작업 중에 공정 불량이 발생한 경우다. 규모가 있는 대기업은 수입검사 대신 무검사로 전환해 현장으로 자재를 직투입한다. 특히 자동차업종이 그렇다. 부품검사 생략하고 바로 투입할 테니 양품만 넣으라는 의미다. 라인에서 불량이 발견되면 '알아서 책임져라.'는 의미다. 책임은 당연히 감당하기 힘들 만큼의 클레임 비용이다.

불량이 발생하면 간단한 조치로 해결될 수도 있지만, 다른 제품에 불량이 섞였을 수도 있고, 원인도 찾아야 재발을 방지할 수 있다. 라인을 멈추어야 하는 이유다. 불량으로 인한 품질 이상을 최소화하기 위해서는 '자공정 품질보증(BIQ, Built In Quality)' 개념이 답이다. 좋은 품질을 만든다는 건 대단히 복잡한 일이기에 5장에서 자세히 다루겠다.

마지막 넷째는 작업지시 대기와 같은 '생산 대기'다. 생산 대기가 일어나는 원인은 다양하다. 결원, 긴급오더, 설계오류, 작업지시 대기 등 생산부와 생산관리부 귀책사항이다. 결원은 예상하지 못한 근태가 원인이다. 작업자가 급한 개인사정이 생겼거나, 어젯밤 술 한 잔 찐하게 먹고 다음날 아침에 출근 못 한다고 연락하는 경우다. 특히, 용접이나 도장, 프레스나 사출 같은 하드(hard)한 업종일수록 빈번하다. 결원이 생기면 릴리프(relief)나 현장관리자가 대타로 투입돼야 한다. 야구에서 한두 이닝(또는 타자)를 책임지고 구원투수로 등판하는 투수를 '원 포인트 릴리프'라 부른다. 공장에서 릴리프는 모든 공정을 커버할 수 있는 '베테랑' 작업자다. 하지만 요즘처럼 인건비 비싼 시절에 여유 인력을 두기란 쉽지 않다. 투입인력 없으면 펑크 나는 거다. 펑크 나면 바로 비가동이다.

갑작스러운 결원이 빈번한 문제를 개선하기 위해서는 '예정 근태 입력' 활동이 효과적이다. 한 달 전에 휴가 쓸 날을 미리 정하라는 뜻이다. 정하지 않은 날짜 제외하고 갑자기 조퇴나 휴가 내면 개인 근태준수율이 깎인다. 한 달 20일 근무 중에 예정하지 않은 결근이 2일이라면, 근태준수율이 90%다. 이 지표를 모든 작업자에 대해 측정하고 현황판에 게시했더니 두세 달 만에 지표가 좋아졌던 경험이 있다.

긴급오더나 작업지시 대기는 생산계획의 미스다. 생산계획은 변경

불가한 구간이 있다. '타임펜스(time fence)'라 부른다. 예를 들면 D+7일까지를 확정구간으로, D+14일까지를 예시구간으로 설정한다. 갑자기 고객으로부터 긴급오더가 나왔다고 확정구간을 변경하는 경우다. 확정구간 생산계획을 갑자기 변경하면 자재준비도 안 되어 있고, 사전 작업 준비도 못 하는 상황이 발생한다. 당연히 비가동이 발생할 확률이 높다. 예방책은 간단하다. 최대한 확정구간은 흔들지 않아야 한다. 생산계획이 기침하면(확정구간을 흔들면) 현장은 감기 걸리고 협력사는 폐렴 걸린다.

옵션에 대한 설계오류나 사양 확인이 필요한 경우에도 비가동이 발생한다. 옵션이 다양한 경우 정확한 작업지시가 내려가야 하고, 현장에서 확인요청이나 이상이 발생하면 생산기술부나 생산관리부에서 긴급하게 대응해야 한다.

지금까지 공장 흐름화를 방해하는 네 가지 유형의 이상 요인을 하나하나 살펴보았다. 공장은 사람, 자재, 방법, 설비, 환경(이를 4M1E라 부른다)이 복잡하게 어우러져 물건이 만들어지는 곳이다. 자재관리, 설비관리, 품질관리, 생산관리 등 각 기능 관리자와 스텝이 역할을 다하겠지만 관리력이 약한 경우나 인력이 부족한 경우 돌발 상황은 언제든지 발생할 수 있다.

돌발 상황은 또 다른 돌발 상황을 불러온다. 돌발 상황이 늘어나는 공장은 부지불식간에 병들어 간다. 무감각이라는 병이다. 천천히 둔감해지고 급기야는 포기상태가 된다. 돌발 상황을 최소화하고, 이상이 발생해도 민첩하고 슬기롭게 대응하는 지혜와 시스템이 필요하다. 이것이 강한 현장의 모습이다. 비가동 건수를 줄여야 한다. 이는 비가동이 발생한 근본 원인을 찾아 개선해야 가능하다. 동일한 비가동이 반복해서 발생하거나 일정시간 이상의 비가동 건은 문제 뱅크(bank)에 등록해서 개선한다. 문제 뱅크와 관련된 주제는 6장에서 자세히 다루겠다.

3장. PULL,

후공정이 필요한 만큼만 생산한다

왜 당기기(Pull)인가?

편의점에 몇 가지의 물건이 있는지 아는가? 대략 2천 종이 넘는다. 목 좋은 곳에 있는 대형 편의점은 3천 종까지도 간다. 어떻게 그 많은 물건을 진열할까? 정말 필요한 양만큼만 놓지 않으면 2천 종이 넘는 많은 물건을 모두 진열하기가 여간 쉽지 않다. 편의점 냉장고에서 콜라 하나 꺼내면 뒤에 있던 콜라들이 '또로록' 하고 내려온다. 그러다 한두 개 남으면 편의점 직원이 뒷문으로 조용히 나가 창고에서 콜라 몇 개를 가지고 와서 채워놓는다. 이런 방식으로 수시로 채워놓지 않으면 좁은 공간에 그 많은 물건을 진열하기란 사실상 불가능하다.

TPS의 핵심사상인 JIT는 도요타의 창업주 도요다 기이치로(豊田喜一郎)가 슈퍼마켓에서 영감을 얻었다. 기이치로는 도요다 사키치(豊田佐吉)의 아들이다. 사키치는 어려서부터 손재주가 뛰어나 발명왕이라 불렸다. 성장해서 '도요타 자동직기'를 설립하였고, 특허로 돈도 많이 벌었다. 1937년 기이치로는 아버지한테 졸라서(특허를 몇 개 팔았다) 자금을 지원받아 '도요타 자동차공업'을 설립했다. 자동차산업이 미국에서 한창 호황을 누리던 시절이었다.

도요타는 처음에 기술력이 부족해 승용차는 못 만들고, 대신 트럭을 만들어 미국에 수출했다. 자동차 생산 경험이 부족하다 보니 기술력이 모자랐던지 미국에서 연일 클레임이 들어왔다. 오죽하면 당시 미국에서 도요타 트럭 별명이 '고속도로에서 섰다 하면 도요타!'였을까. 클레임 해결하느라 기이치로는 미국을 뻔질나게 왔다 갔다 했다. 한번은 고객한테 엄청 구박을 받고 나오는 길에 목이 말라 슈퍼마켓에 들러서 음료수를 하나 꺼내 마셨다. 자기가 꺼낸 음료수가 거의 떨어지자 점원이 창고에서 가지고 와서 물건을 채워 넣었다. 그 장면을 목격한 기이치로의 머리에 뭔가가 딱 스치고 지나갔다. "바로 이거야!"

● **편의점 진열대. 당기기(Pull) = 슈퍼마켓에서 힌트를 얻다.**

당시 전 세계 자동차 시장은 미국의 BIG3인 GM, 크라이슬러, 포드가 꽉 잡고 있었다. 포드자동차 생산라인만 보더라도 끝이 안 보이는 '컨베이어(conveyer)' 시스템에 엄청난 설비와 인력으로 15분마다 한 대씩 자동차를 뽑아냈다.

기이치로는 잠시 본국에 있는 공장을 되돌아봤다. 이 BIG3를 어떻게든 이기고 싶은데 본인 공장을 생각하면 한숨만 나왔다. 툭 치면 와르르 무너져버릴 것만 같은 허름한 공장과 열악한 설비, 부족한 인력 등 뭐 하나 제대로 경쟁할 만한 요소가 없었다. 그때 기이치로는 다짐했다. "내가 이 방식(후보충 방식을 말한다)으로 BIG3을 5년 만에 따라잡겠다." 그로부터 약 50년이 지난 2007년에 도요타는 GM을 제치고 판매 실적 세계 최고를 달성하며 세계 1위 자동차 회사가 됐다. 5년이라고 말해서 50년이 걸렸을 것이다. 10년이라고 했으면 일장춘몽으로 끝났을 수도 있었다.

GM처럼 많이 만들어 놓고 파는 방식이 아니라, 필요한 만큼만 빨리 만들어 채워놓는 방식이 후보충 방식이다. 실제로 GM은 한때 대형 고급 승용차를 한 대 사면 소형차 한 대 더 준다고 프로모션 한 적이 있다. 안 팔리는 재고차량을 어쩔 수 없이 프로모션으로 처리하고자 했을 것이다. 수요자들 반응은 처음에 폭발적이었다. "와! GM에서 큰 차 사면 작은 차 끼워준대." 그러나 분위기는 오래가지 못했다. "얼마나 차가 안 팔리면 소형차를 끼워 팔겠어."

기이치로는 기존 자동차 회사들이 해왔던 방식, 즉 많이 만들어놓고 파는 방식이 아닌, 팔린 만큼만 만들어서 채워가는 후보충 방식이 가장 제조원가를 최소화하는 방식이라고 판단했다. TPS의 후보충 방식을 '슈퍼마켓 생산방식' 또는 '기준재고 생산방식'이라고 부르는 이유다. TPS의 후보충 방식이 린 방식에서는 'Pull System'으로 불리며 발전했다. Pull System은 '재고를 최소화하기 위해 고객 주문에 따라 생산과 분배를 결정하는 시스템'으로 정의한다.

'Pull System'은 중국집 짜장면 만드는 방식을 떠올리면 이해가 쉽다. 일반 짜장과 간짜장 만드는 방법의 차이를 아는가? 간짜장이 일반 짜장보다 대체로 천 원 정도 비싸다. 간짜장은 주문이 들어오면 만들기 때문이다. 그래서 더 맛나다. 주방장은 출근하면 짜장 볶는 게 일이다. 야채 썰고 고기 넣고 춘장으로 비벼서 짜장 양념을 일정량 미리 볶아 놓는다. 주문 들어오면 바로바로 나가기 위해서다. 그러다 볶아 놓은 짜장이 바닥을 보인다 싶으면 다시 만들어 채워놓는다. 이 방식이 바로 'Pull System'이다. 핵심은 재고를 최소화하면서 스피드가 있다.

반대로 간짜장은 주문이 들어오면 즉석에서 짜장을 볶는다. 그래야 더 맛있기 때문이다. 월급 받는 주방장 입장에서는 간짜장이 귀찮을 법하다. 일반 짜장보다는 주문도 많지 않을뿐더러, 매번 새로 만들어야 한다. 귀찮다고 메뉴에서 뺄 수도 없다. 고객 입맛이 다양하기 때문이다. 핵심은 최소의 재고로 스피디하게 고객의 다양한 니즈를 충족하는 것이다.

● 간짜장과 일반 짜장의 차이. 일반 짜장은 후보충 방식으로

공장에 처음 방문하면 담당자와 상담하면서 반드시 애로사항을 물어본다. 가장 많이 듣는 애로사항이 바로 "우리 회사는 워낙 다품종 소량생산이라 대응하기가 매우 힘듭니다."이다. 아니, 요즘에 다품종 소량생산 아닌 곳이 어디 있는가. 다품종 소량생산을 할 수밖에 없기에 관리를 잘 해줘야 한다. 다품종 소량생산이라는 상황을 핑계로 만드는 데 시간이 오래 걸리니 기다리라고 하면 어느 고객이 좋아하겠는가. 짜장면 주문하고 물 따르고 젓가락 놓고 3분만 지나봐라. "왜 안 나옵니까?" "언제 나옵니까?" 아우성이다. 우리나라 국민성이 그렇다. 기다리는 거 질색한다. 다양한 제품을 만들어야 하는 상황에서도 재고를 최소화하면서 단납기로 대응할 수 있는 방법이 'Pull System'이다. 강한 현장이 되기 위한 둘째 원칙인 'PULL', 즉 후공정이 필요한 만큼만 생산해야 하는 이유다.

Push vs Pull

요즘은 보기 힘들지만 한때 사람들을 지하철에 태우기 위해 미는 사람을 '푸쉬맨'이라 불렀다. 만약 지하철에 탄 승객이 다른 승객을 잡아당기면 반대 개념인 풀 개념일 것이다.

평평한 바닥에 한 줄의 실을 올려놓고 앞으로 보내야 한다고 생각해 보자. 첫째 방법은 '밀기(push)'다. 실의 시작 부분을 잡고 밀어보면 앞으로 가기는커녕, 끝부분으로 몰리기만 하고 좀처럼 앞으로 가지 않는다. 한곳에 몰리는 병목현상 때문이다. 둘째 방법은 '끌기(pull)'다. 실의 끝부분을 잡고 당기면 힘들이지 않아도 줄이 앞으로 술술 잘 나간다.

전형적인 Push 방식은 능력이 다른 각 공정이 자기 공정에서의 속도대로 물건을 만들어 뒤(후공정)로 밀어버린다. Push 방식의 폐해는 병목현상으로 인한 과잉재고다. 속도가 빠른 공정이 밀어내서 속도가 느린 공정 앞에 재공이 쌓이기 때문이다.

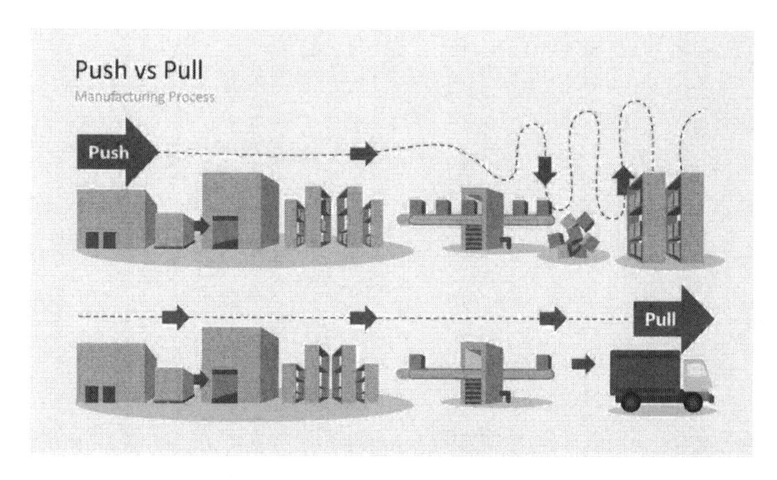

● Push vs Pull

공급사슬 프로세스는 최종 고객 수요 시점과 비교해 프로세스의 실행 시점에 따라 크게 2개의 범주인 Push와 Pull 프로세스로 구분된다. Push 프로세스는 철저한 수요예측에 기반해 생산을 계획한다. 용어의 뜻 그대로 공급사슬의 상류(upstream)쪽에 있는 공급자가 하부(downstream)에 있는 소비자에게 상품을 푸쉬하는 방식이다. 이 방식은 예측을 기반으로 이루어지기 때문에 완제품의 대량생산이 가능하다는 점에서 규모의 경제를 실현해 원가를 절감할 수 있다는 장점이 있다. 하지만 수요예측이 빗나가 대량생산된 제품이 잘 안 팔릴 경우 과잉재고가 발생하고 리드타임이 길어져 고객 서비스 수준이 저하되는 단점이 있다.

Pull 프로세스는 Push와 반대되는 개념으로 실제 소비자의 주문이 발생할 때, 그에 맞춰 제품을 생산하거나 재고를 보충하는 방식이다. 이 방식은 고객 수요나 주문이 의사결정의 가장 중요한 기준이 된다. Push 프로세스와 달리 Pull 프로세스는 장기적인 수요예측을 할 필요가 없기 때문에 상대적으로 리드타임이 짧아져 수요 변동에 대한 대처가 빠르고 과잉재고가 발생할 가능성이 거의 없다는 장점이 있다. 하지만 리드타임이 긴 경우에는 현실적으로 도입이 어렵고 규모의 경제성이 떨어진다는 단점이 있다. (출처: 《공급사슬관리》, 권오경 저)

TPS가 도입이 되기 전 도요타는 과잉생산, 과잉인력의 연속으로 많은 재고와 막대한 재고유지비라는 악순환에 빠져 있었다. 이런 악순환에서 빠져나오기 위해 도요타는 필요한 양만큼만 생산해 판매하는 JIT 방식을 도입했고, 이를 통해 필요한 자재와 부품을 필요한 시기에 정확하게 공급했다. TPS를 도입하기 이전에 도요타는 자재와 부품이 들어오는 대로 생산하는 Push 방식으로 제품을 무분별하게 밀어냈다. 하지만 TPS 도입 이후 하부(고객 또는 후공정)에서 필요한 제품의 종류나 수량을 우선적으로 결정했고, 필요한 생산요소들을 적재적소에 공급할 수 있는 'Pull 방식'으로 효율성을 높여 위기를 극복했다.

Push 방식과 대로트로 생산하는 전형적인 낭비 많은 공장은 근본적인 문제를 안고 있다. 각 공정은 고립된 섬처럼 운영된다. 후공정 고객의 요구 대신 생산관리부로부터 접수된 스케줄에 따라 제품을 생산해 밀어낸다. 이렇게 생산된 제품은 후공정이 요구해서 만든 것이 아니기 때문에 계수(計數), 이동, 저장과 같은 낭비활동을 초래한다. 또한 하위 공정으로 제품이 흘러가서 문제가 발견되기 전에는 불량품은 대기하고 있는 재고에 숨어 있기 때문에 불량 원인을 추적하기가 어렵다. 1개 제품을 생산하기 위한 가치창출 시간은 짧은 반면, 공장 전체의 제품생산 리드타임은 길어진다.

원자재로부터 완제품에 이르는 지나치게 긴 리드타임을 줄이기 위해서는 단지 눈에 보이는 낭비를 제거하는 것 이상의 노력이 필요하다. 수많은 실행 노력이 7대 낭비(과잉생산, 대기, 재고, 운반, 가공, 동작, 불량)를 발견하고 이를 줄이는 데 집중되어왔다. 낭비를 발견하는 것도 중요하지만 낭비의 '근본 원인'을 제거하는 것이 필요하다.

낭비의 가장 큰 원인은 후공정이 요구하는 것보다 더 빨리, 더 많이 생산하는 과잉생산이다. 과잉생산은 재고량 증대와 자금 회전을 어렵게 만드는 원인일 뿐 아니라 모든 낭비의 원인이다. 로트 방식으로 생산한 부품은 저장이 필요하고, 저장 공간을 요구하며, 운반을 위해 사람과 장비가 필요하며, 분류나 재작업이 필요한 경우도 발생한다. 각 공정이 당장 필요치 않은 제품을 생산하느라 바쁘기 때문에 과잉생산은 결품을 초래하기도 한다. 당장 불필요한 제품을 생산하기 위해 작업자와 설비를 사용하면서 추가적인 작업자와 설비능력을 요구한다. 과잉생산은 리드타임을 길게 만들며, 고객 요구에 대응하는 유연성을 떨어뜨린다.

Push 방식의 대량생산이 효과적이라는 사고는 더 많이, 더 빨리 생산할수록 더 저렴하게 생산할 수 있다는 것이다. 그러나 이는 전통적인 회계 관행에서 과잉재고 및 낭비와 관련된 제 비용을 무시하고 품목당 직접비 관점에서 측정할 때만 맞는 이야기다. 린 방식에서 추구하는 것은 후공정이 필요로 할 때 필요한 만큼만 제품을 만드는 것이다. 원재료에서 최종소비자에 이르는 모든 공정이 최단 리드타임, 최고 품질, 최저 비용을 창출하도록 평준화된 흐름 방식으로 연결되어야 한다. 그렇다면 어떻게 후공정이 필요로 할 때 필요한 만큼만 제품을 생산할 수 있을까? 린 방식에서 제시하는 지침은 다음과 같다.

지침1. 택트타임에 맞추어 생산하라.
지침2. 가능한 모든 곳에서 연속흐름을 구현하라.
지침3. 연속흐름을 더 이상 상위공정으로 확대할 수 없을 경우, 생산을 통제하기 위해 슈퍼마켓을 사용하라.
지침4. 고객 스케줄을 단 개의 생산 공정에 보내도록 노력하라.
지침5. 속도조절공정에서부터 제품믹스의 평준화를 실행하라.
지침6. 속도조절공정에서 작업량을 작은 묶음으로 균등하게 지시하고 인수함으로써 '최초의 당기기'를 구현하라(생산량의 평준화).』
(출처: 《가치흐름지도 작성법》, 한국린경영연구원 저)

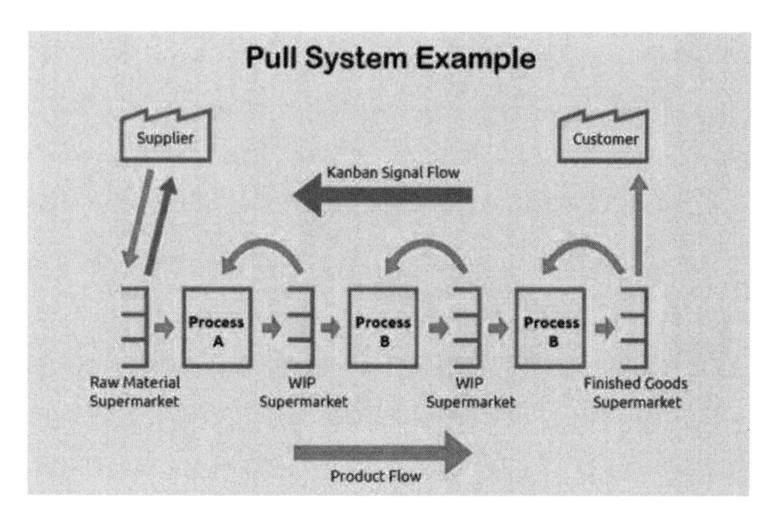

● Pull System Flow Diagram

Push 생산방식은 '밀어내기' 방식이다. 기존의 생산방식으로 후공정에 강매하는 식이다. 고객의 수요예측에 의한 생산이며, 생산계획(작업지시)은 전체 공정에 배포한다. 예측의 정확성이 떨어지면 생산계획이 자주 변경된다. 생산정보 활용이 공정별로 독립적이어서 후공정 재고가 많아도 가져다준다. 즉, 밀어낸다.

Pull 생산방식은 '끌어당기기' 방식이다. 후공정에서 빠져나간 양만큼(팔린 만큼) 전공정에서 끌어 당겨오는 방식이다. 실제 소비속도에 따라서 생산하며 생산계획(작업지시)은 최종공정에만 배포한다. 전공정은 후공정에서 가지고 간 수량만큼만 생산한다. 전체 공정은 후공정의 요구에 즉시 대응할 수 있는 기본 표준재공만 보유한다. 후공정의 생산이 멈추면 전공정의 전체 생산이 멈춘다.

Pull 방식을 구현하기 위해 과거에는 '간판(kanban)'을 많이 사용했다. 지금은 스마트팩토리 시대라 MES에서 해당 공정에 후공정이 필요한 만큼만 작업지시가 내려간다. 신경 쓰지 않아도 자연스럽게 Pull 방식이 되도록 MES에서 구현해 운영하고 있다. SCM이 완전히 협력사까지 연결되지 않은 경우 'e간판(전자 간판)'을 발행하기도 한다. e간판이 당기기 신호(pull signal) 역할을 해 필요한 자재를 필요한 만큼만 당긴다.

생산전략을 유연하게 수립하라

공장에 처음 방문하면 여러 가지 팩트를 체크한다. 그중 하나가 생산전략, 즉 주문이행시간에 따른 생산방식이다. 만들어놓고 파는지, 주문받으면 만드는지, 고객은 납기를 얼마나 주는지 등이다. 생산전략의 일환으로 고객 요구 납기에 따른 생산방식은 네 종류가 있다. 생산전략은 '생산 프로세스 어느 지점에서 고객 오더와 생산 프로세스가 만나는가?'에 따라 결정된다.

첫째는 MTS(Make To Stock, 계획생산) 방식이다. '재고생산방식'이라고도 한다. 완제품을 재고로 가지고 있다가 고객 주문에 맞춰 공급하는 전략이다. 고객은 이미 만들어진 제품을 가져간다. 할인매장을 생각하면 된다. 기업은 재고관리가 중요하고, 고객 요청에 대한 반응은 가장 낮다. 이미 생산된 제품 중에서 선택할 수 있을 뿐이다. 하지만 선택하면 바로 재고에서 가져갈 수 있기에 고객 요청 이후 물품을 받기까지 속도는 가장 빠르다. 대부분의 공산품은 이 전략으로 생산한다. MTS 방식으로 생산되는 제품들은 대개 저렴할뿐더러 옵션이 거의 없다.

둘째는 ATO(Assemble To Order, 주문조립생산) 방식이다. 반제품을 재고로 보관하고 있다가 고객 주문에 맞춰 조립한 후에 제품을 공급하는 전략이다. 고객이 요청한 대로 조립하는 상품이다. 조립될 부품(모듈)은 전부 생산되어 있고, 고객의 요청에 따라 조립 후 판매한다. Dell사의 컴퓨터 판매나 현대자동차의 승용차를 생각하면 된다. 자동차처럼 옵션 종류가 많고 비싼 제품들은 ATO 방식으로 생산한다.

셋째는 MTO(Make To Order, 주문생산) 방식이다. 고객 주문이 들어오면 원자재 가공부터 시작해 반제품 생산과 완제품 조립으로 진행하는 전략이다. 고객이 요청한 순간부터 생산을 시작한다. 다음의 ETO 방식보다는 요청 수용 정도가 낮지만 설계과정이 생략돼 좀 더 빨리 생산할 수 있다. 주문으로만 가능한 명품제품, 혹은 요트, 공작기계 생산업체들이 대부분 MTO 방식을 따른다.

마지막 넷째는 ETO(Engineer To Order, 주문설계생산) 방식이다. 고객 주문이 들어오면 설계부터 시작해서 자재 구입하고 생산, 조립하는 전략이다. 고객이 요청한 대로 설계부터 진행한다. 우리나라 조선업을 생각하면 된다. 고객별 맞춤형 서비스로 매번 다른 제품이 생산된다. 고객 요청의 수용 정도가 가장 높다. 하지만 설계부터 시작하기에 고객 요청부터 제품생산 완료까지 시간이 가장 오래 걸린다. 공급업체는 고객 주문사양에 맞는 유일한 제품을 설계하고 생산하는 제조 프로세스를 가지고 있어야 한다. 여기에서 비즈니스 성공의 핵심은 견적이다. 항공기, 선박, 금형 등 첨단제품이나 특수한 제품 제작에 적용한다.

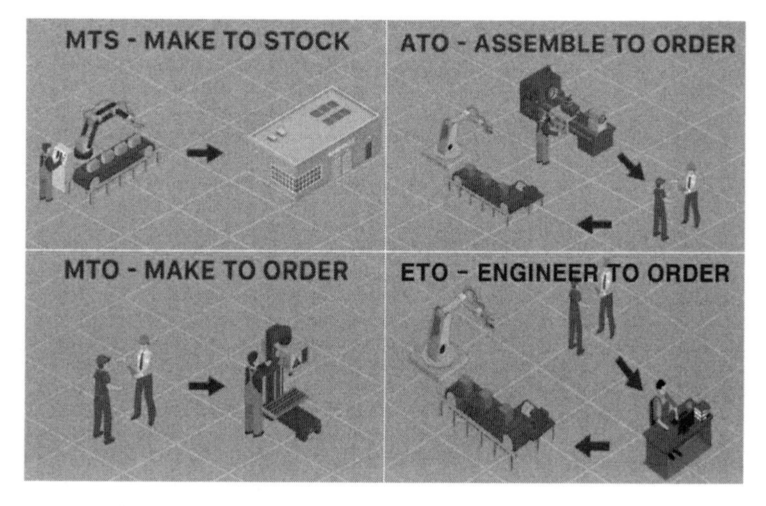

● 주문이행시간에 따른 네 가지 생산방식

네 가지 생산전략을 앞에서 언급한 중국음식에 비유하면 MTS는 서비스로 나가는 단무지, ATO는 일반 짜장, MTO는 간짜장, ETO는 VIP의 특별주문 요리쯤 되겠다. 생산전략은 기업의 생산 제품별로 다르게 선택할 수 있고 일관된 전략을 취할 수도 있다. 제품 수명주기(life cycle)에 따라 도입기, 성장기, 성숙기, 쇠퇴기 상에서 어떤 위치에 있는지를 기준으로 생산전략을 다르게 선택할 수도 있다.

'ETO > MTO > ATO > MTS' 순서대로 갈수록 고객 서비스 측면은 약해진다. 고객 의사가 제품에 반영될 여지가 갈수록 줄어든다. 하지만 점차적으로 고객 주문 이후 물건을 받기까지 시간은 단축된다. 고객 주문정보를 생산 지시로 변환시키는 지점을 '디커플링 포인트(decoupling point)'라고 한다. 생산전략에 따라 디커플링 포인트 위치가 결정된다. 디커플링 포인트를 기점으로 전반부에는 고객 수요를 예측해서 생산하는 'Push 방식' 생산이, 후반부에는 고객 수요에 대응하는 'Pull 방식' 생산이 발생한다. 어떻게 'Pull'을 구현할 것인가에 대해서는 다음 파트에서 자세히 다루겠다.

몇 해 전 지도한 N사는 화장품을 ODM·OEM으로 생산해서 대기업(L사)에 납품한다. 세종시에 위치해 있다. 170명의 직원이 근무하며 년 매출 350억 정도의 규모다. 공정흐름은 단순하다. 제조 라인에서 원료 투입해 벌크(bulk, 화장품 내용물을 의미)를 제조하고, 최종 포장 라인에서 부자재 투입해 충진·포장 후 완제품 창고로 들어간다. 생산형태를 물어보니 철저히 MTO 방식을 취하고 있었다. 2주 예시물량과 2주 확정오더 체제로 운영했다.

화장품 특성상 만들어놓고 안 팔리는 위험 때문에 주문 들어오면 생산을 시작했다. 자재 발주부터 완제품 납품하는데 2주도 빠듯했다. 애로사항은 주문이 월 하반기에 몰려 상반기 1~2주차는 여유가 넘쳤고, 나머지 하반기 3~4주차는 똥줄이 탔다. 월 하반기에는 인원이 너무 부족해 정규직 생산직원 수의 30% 이상을 용역직원으로 충당했다. 말 그대로 '생산의 평균화'가 전혀 안 되는 상황이었다.

일(주문)은 꾸준히 있어야 힘이 덜 든다. 필자가 업으로 하는 컨설팅 일도 1년 중 상반기는 텡텡 놀다 하반기엔 숨이 턱에 차도록 일이 몰린다. 상반기엔 마음이 힘들고 하반기엔 몸이 힘들다. 마라톤도 마찬가지다. 42.195km를 같은 페이스로 꾸준히 달려야 완주할 수 있다. 달리다 걷다를 반복하면 얼마 못 가 지쳐서 포기한다. N사도 주문량의 불균형이 부하 불균형을 초래해 일에 부침이 심했고 납기에 항상 쫓기는 상황이었다.

해답을 제시했다. 부하 평준화를 위해 MTO 방식과 ATO 방식을 혼합해서 운영하는 전략이다. 가장 생산량이 많은 TOP5 품목을 정했다. 이 5개 품목은 ATO 방식으로, 나머지는 기존처럼 MTO 방식으로 운영했다. 5개 품목의 생산량 합은 전체 생산량의 20%를 넘게 차지했다. 매주 생산하는 품목이라 안 팔려서 장기재고로 남을 가능성도 거의 없었다. 포장재 같은 부자재는 미리 발주 내고, 반제품인 벌크는 기준재고(min, max)를 정해 빠져나간 만큼 채워놓는 후보충(pull) 방식을 채택했다.

'생산량 편차'를 KPI로 정하고 매주 관리토록 했더니 두 달 만에 지표실적이 30%나 좋아졌다. 생산량 편차가 줄어드니 3~4주차 때 무리하게 많은 용역 인원을 쓸 필요도 없어졌다. 용역 인원은 정규직에 비해 인건비는 낮지만 스킬이 부족해 생산성을 올리고 좋은 품질을 유지하는 데 걸림돌이 된다. 정규직원들도 몰리는 물량을 잔업과 특근으로 커버해야 한다. 잔업비는 정규작업의 1.5배, 특근은 2배로 회사에도 부담이 크다. 잔업과 특근은 많이 하면 할수록 원가가 올라가서 나중엔 남는 게 없다. 생산방식을 혼합해 생산량 쏠림 현상을 해소하고 안정적 공급이 가능해져 공장장도 스텝들도 모두 만족해했다. 리드타임이 짧아져 납품대응력이 좋아졌음은 물론이다.

소로트로 생산하라

1940년대 말, 당시 도요타의 자동차 생산은 일부 부품이 없어도 계획된 대로 생산해 미완성된 차량을 중간창고에 쌓아두었다가 모든 부품이 한자리에 다 모이면 완성차로 만드는 방식을 취했다. 현장은 피크(peak) 기준으로 인력과 설비, 재고를 보유할 수밖에 없어서 원가 경쟁력이 약해지고 협력사를 포함해 과잉생산으로 재고의 낭비가 발생했다.

1952년경 미국의 슈퍼마켓을 벤치마킹해 필요한 물건을 필요한 양만큼 공급하는 JIT를 현장에 도입했다. 이후 품종과 수량을 소량으로 반복 생산해서 고객 주문에 대한 대응력을 높이는 평준화 생산을 시작했다. 기존 생산방식에서 평준화 생산으로 전환해 조립 라인은 1/3 정도 인력으로도 작업이 가능했다. 포드 생산방식은 분업에 의해 동일한 모델을 대량으로 생산하는 방식인데 비해, TPS는 다양한 모델을 JIT로 매일 소량, 반복 생산하는 방식이다. 그 핵심의 하나가 평준화 생산이다.

헤이준카(heijunka)는 평준화 생산을 의미하는 일본말로, 생산량(volume)과 제품구성(mix)에 있어서 균일하게 생산하는 방식이다. 평준화 생산은 린 방식에서 '레벨링(leveling)'으로 부른다. 소로트화, 한 개 흘리기, 평준화 생산, 레벨링 모두 유사한 개념으로 인식해도 무방하다.

생산을 평준화한다는 것은 전체 주문 수량을 특정 제품에 일일 수량으로 할당할 수 있음을 의미한다. 표준화되고 안정적이며 신뢰할 수 있는 프로세스와 수량, 다양성 모두에서 생산 스케줄의 평준화를 의미한다. 생산량과 제품구성에 있어서 생산의 균일화를 만들어내는 것이다. 변화 폭이 심한 고객 주문의 일정 흐름에 따라 제품을 생산하는 것이 아니라, 일정 기간 동안 총 주문량을 받아 기간과 생산량을 균일화해 매일 같은 양의 제품을 생산할 수 있도록 처리하는 방식이다.

평준화 생산은 고객 수요가 불안정하고 주문량 예측이 어려운 경우에 유용한 개념이다. 고객 오더가 급격히 변동하더라도 생산 패턴은 항상 일정하게 유지한다. 고객 오더가 증가하거나 하락하더라도 통상 1개월이나 1분기 생산계획을 고정시키고 꾸준히 혼류 생산을 실시한다.

평준화 생산을 추진하려면 가장 먼저 '총량 평균화'를 진행한다. 연속하는 두 기간의 총 생산량 변동폭을 극소화하는 것이다. 변동폭은 하루 평균 생산량의 10%를 넘지 않아야 한다. 일일 생산량의 평균화를 의미하며 매일매일 양을 일정하게 생산하면 개선이 쉬워진다. 다음 단계는 점진적으로 로트 크기를 줄여나간다. 최종 로트 사이즈(lot size)는 1개 흘리기다. 로트 사이즈가 줄면 다음은 '품종 평균화'를 진행한다. 제품 종류별 흐름이 기간 상호 간(통상 매일) 변동폭이 생기지 않도록 한다. 다품종 모델을 평균화하면 라인과 협력사 재고를 최소한으로 유지할 수 있다.

품종 평균화를 진행하려면 우선, 많이 생산되는 순으로 제품군을 구분한다. A가 상위 60%, B가 다음 30%, C가 하위 10%인 제품군 내에서 제품을 A-B-C군으로 분류한다. 그런 다음 A군 제품을 매일 생산할 수 있도록 매우 작은 배치 크기(batch size)로 만든다. 매일 생산하거나 또는 2~3일에 한 번 단위로 생산하는 B군 제품의 배치 크기를 만든다. 마지막으로 일주일에 한 번 매우 적은 양의 C군 제품을 배치 크기로 만든다. 이를 통해 생산량의 일관성을 유지하면서 재고를 훨씬 빠르게 순환시킬 수 있다. 이러한 일관성은 잠재적으로 공급업체의 생산 패턴을 변환시킨다.

품종 평균화에 대한 이해를 돕기 위해 예를 들어보자. 매일 A모델 240대, B모델 120대, C모델 60대를 만들어야 하는 자동차 공장이 있다고 가정하자. 로트 사이즈를 최소화한 품종 평균화는 'A-A-B-A-A-B-C'를 한 사이클로 반복해서 생산하는 것이다.(도요타의 경우, 하루에 24사이클을 돌렸다) 평준화 적용 범위를 확대하면 다(多) 사이클 생산체제가 이뤄져 고객의 주문 변동에 대응력이 높아진다.

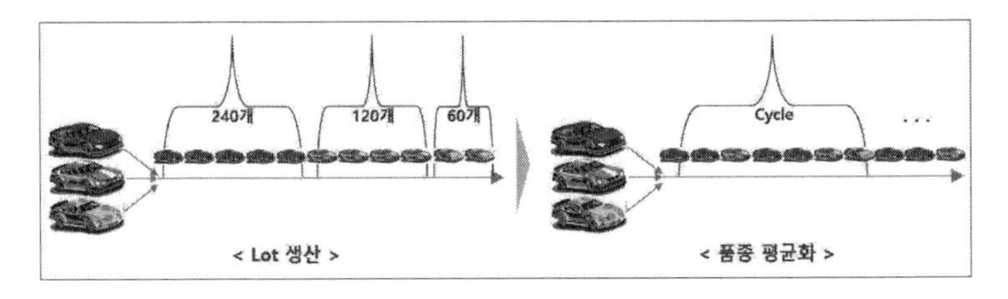

● 평준화 생산(Leveling) 방식 예시

평준화 정도를 측정하고 관리하는 지표 두 가지를 소개한다.

첫째는 'EPEI'다. EPEI는 'Every Part Every Interval'의 약어로 '평균생산주기'로 부른다. EPEI를 계산하는 공식은 '작업일수÷생산횟수'다. 작을수록 좋은 망소특성(望小特性)이다. 만약 한 달 동안 20일을 조업했고 X제품을 20일 모두 생산했다면 EPEI는 1.0(=20일/20회)이 된다. Y제품을 10일 생산했다면 EPEI는 2.0(=20일/10회)이 된다. 만약 Z제품을 하루에 두 번씩 반복 생산했다면 EPEI는 0.5(=20일/40회) 이상이 된다. 매우 평준화 수준이 양호한 상태다.

실제 기업에 가서 진단해보면 A급 기준으로 EPEI 1.0 나오기가 매우 어렵다. 준비교체의 부담 때문에 한 번 생산할 때 대로트로 만들기 때문이다. EPEI를 측정해보면 얼마나 대로트로 생산하고 있는지 단번에 알 수 있다. 개선은 점유율이 높은 A급 제품부터 EPEI 목표를 1(=1일/1회), B급 제품은 5(=5일/1회)로 하고, 나머지 C급 제품은 20(=20일/1회)로 필요(주문)에 따라 생산해 월 1회 정도로 하면 된다.

둘째는 '평준화 편차'다. 모든 제품의 생산 로트 크기를 설정하고 실제 생산한 로트 크기와 차이(gap)를 측정하는 것이다. 평준화 편차의 계산공식은 '절대값[표준로트 크기-실제로트 크기]'다. 각 라인별 일일 평준화 편차의 월별 평균으로 집계한다. 목표는 당연히 편차가 없어야 하기에 '0(zero)'이다. 현재 수준에서 개선 목표를 잡고 지속적으로 줄여나가면 된다. 고객이 주문한 순서대로 순위(sequence) 생산방식을 취하는 라인은 자연스럽게 평준화가 되기에 EPEI나 평준화 편차는 별 의미 없다.

평준화 생산이 되려면 선행되어야 할 과제가 있다. 생산부는 최소 3일 생산계획은 확정해야 한다. 3일 내 품종별 수량과 순서를 확정한다. 후공정이 필요한 만큼만 전공정에서 공급하는 '후공정 인수방식'이 필요하다. 사내와 협력사간 동기화된 생산체제가 필요하고, 후공정으로 불량을 보내지 않는 Fool Proof가 되어야 한다. 특히 준비교체(model change)로 인한 낭비를 최소화해야 한다. 영업부는 월간 모델별 총량 한도 기준으로 가능한 변동 범위 안에서 운영한다. 보통 20% 변동은 수용 가능한 것으로 합의한다. 개발부는 생산에서 표준작업과 표준공정이 가능하도록 제품 구조 설계와 공수 편차를 줄여나가야 한다.

필자의 경험상 평준화 생산이 안 되는 가장 큰 이유는 준비교체의 불편함과 부담 때문에 대로트로 생산하기 때문이다. 몇 해 전 대구광역시에 있는 고무성형 전문 업체를 단기 지도한 적이 있었다. 성형기를 활용해 로트로 생산해 자동차와 농기계 완성차에 납품했다. 필자가 물었다.

"제품 한 번 걸면 로트 크기 보통 몇 개 정도인가요?"

"그때그때 조금씩 다른 데요. 금형 한 번 올리면 하루에서 이틀 정도 생산합니다. 간혹 가다 3일 내내 생산할 때도 있습니다."

"로트 크기가 너무 큽니다. 줄여야 합니다." 필자가 말했다.

"어휴, 금형 바꾸는 데 시간 오래 걸려 힘듭니다." 생산팀장의 변명 섞인 대답이었다.

준비교체시간 단축은 할까 말까 고민해야 할 사항이 아니라 당연히 해야 되는 사항으로 인식해야 한다. 그것도 10분 이내로 될 때까지 지속적으로 개선해야 한다. 준비교체는 작업전환, 기종변경, 'SMED'로도 표현한다. SMED는 'Single Minute Exchange of Die'의 약어로 준비교체를 한 자리 숫자의 분 단위인 9분대 이내에 완료하자는 의미다.

준비교체시간 단축 요령에 대해서는 인터넷만 찾아봐도 자료가 넘치니 상세한 설명은 생략하겠다. 준비교체의 정석은 'F1 레이싱'에서의 타이어 교체 장면을 연상하면 된다. 자동차가 지정된 구역으로 들어오면 대략 20여 명의 훈련된 인력이 순식간에 달라붙어 2초 만에 타이어 교체를 해치운다. 최고 신기록은 2016년 6월 세워진 '1.92초'다. 0.01초를 단축하기 위해 얼마나 많은 훈련을 거칠지 상상해보라.

● 2초 만에 타이어를 바꾸다(F1 레이싱). 준비교체의 정석

라인에서의 기종변경도 최대한 많은 인원이 달라붙어야 한다. 준비교체시간을 사전에 알리는 '기종변경 예고제'도 필요하다. 현장관리자, 금형보전원, 작업자 등 각자 해야 할 역할을 정해서 표준화하고, 2인 또는 3인 연합작업으로 순식간에 해치워야 한다. 금형 담당자가 기종 변경할 때 팔짱 끼고 멍하니 대기하는 작업자를 많이 봤다. 작업자는 "나는 이 회사에 물건 만들러 왔지, 금형 교체하러 온 게 아닙니다."라고 말한다. 이러니 최소 30~40분은 족히 걸린다. 타이어 교체 빨리 못하면 F1에서 우승 못 한다. 마찬가지로 준비교체도 빨리 못하면 경쟁에서 이길 수 없다.

작업전환을 위한 준비교체시간은 가용작업시간의 10% 정도로 하는 것이 일반적이다. 일일 가용시간이 8시간이고 생산요구량을 달성하기 위해 하루에 7시간이 필요하다면, 작업교체를 위해 1시간을 쓸 수 있다. 만일 현재 준비교체 시간이 10분이라면, 하루에 6번의 작업전환이 가능하다. 더 자주 더 작은 로트 사이즈로 생산하기 위해서 준비교체시간을 계속 줄일 필요가 있다.

소로트화를 추진해 리드타임을 단축한 사례 하나를 소개하고자 한다. W사는 2018년도에 1년간 계획으로 공장혁신을 지도한 업체다. 인천 남동공단에 위치해 있고, 산업용 지게차와 굴삭기에 들어가는 유압실린더를 생산하는 업체다. 직원은 80명, 매출은 250억 정도의 규모이다.

유압제품을 만들어 대기업에 납품한다. 고객은 4일 예시, 4일 확정 오더를 준다. 예시 물량은 변경이 워낙 많아 그냥 참고만 해야 하고, 가끔씩 확정 오더도 급하다며 변경하기도 한다. 공정 흐름은 '내경가공→용접→세척→조립→성능시험→도장→출하' 순으로 진행한다. 제품군을 소형, 중형, 대형으로 나누어 각각 제품군별 라인으로 운영한다. 제품은 철팔레트에 담아 운반한다. 제조리드타임이 8일 정도 소요되어 고객사 D+4일을 맞추려면 선(先) 투입할 수밖에 없다. 애로사항은 고객 오더가 변경되는 경우다. 납기는 어떻게든 맞추려고 잔업과 주말 특근으로 대응해 보지만 결품 나는 경우도 번번이 발생한다. 잔업과 특근이 많으면 인건비가 올라 제조원가가 나빠진다.

총 800여 아이템에 대한 EPEI를 분석해 보니 A급이 6, B급이 15 수준으로 나왔다. EPEI가 말해주듯 대로트 생산으로 인해 공정간 재공재고가 많아 흐름화가 안 되는 상황이었다. 좁은 공장은 공정대차로 가득 잠겨 더 좁아 보였다. 팔레트의 최대 적재수는 50개이며, 소량 주문 아이템은 대차가 부족하다고 한 팔레트에 2~3개 제품을 혼적(混積)했다.

소로트화를 통한 흐름화가 관건인데 준비교체시간을 분석해보니 40분 남짓 걸렸다. 준비교체시간 단축이 소로트화의 전제조건이지만 고객이 빠른 혁신을 요구해 시간적 여유가 없었다. 준비교체시간이 단축되면 소로트화 하겠다고 전략을 수립해도 잘 안 되는(실패하는) 경우도 많다. 준비교체 개선하느라 세월 다 보내고 성과도 미미할 수 있기 때문이다. 우선 공정대차(팔레트) 크기를 무조건 반으로 줄였다. 공용으로 쓰는 공정대차를 소·중·대형별로 색상을 달리해 구분하고 정해진 구간에서만 사용토록 했다. 한 팔레트에는 한 제품만 담도록 해 불량을 유발할 수 있는 혼적은 철저히 금지했다. 개별 작업장에는 대차 한 대씩만 놓을 수 있는 작업대기, 작업완료 구획선을 긋고 선입선출(FIFO)로 재공량(대차수량)과 흐름을 통제했다.

소로트화는 생산관리부가 가장 중요한 역할을 해줘야 한다. 생산관리팀장에게 주단위로 EPEI를 집계토록 했고 필자는 매주 브리핑을 받았다. 6개월 후에 EPEI 수준은 A급이 2로 67% 개선, B급이 7로 50% 개선되었다. 리드타임은 8일에서 4.6일로 43% 개선되어 선행생산이 거의 필요 없게 됐고 결품도 없어졌다. W사는 그해 이후 2년을 더 지도했다. 최근에는 대차 크기를 또 반으로 줄여 시뮬레이션하고 있다. 준비교체 단축 활동도 열심히 추진 중이다. 이 회사의 혁신은 한 번으로 멈추지 않고 여전히 진행형이다.

소로트화는 다양한 고객의 요구 만족을 위해 주문 즉시 제품을 인도하는 단납기를 실현하는 활동으로 로트 사이즈를 줄이는 것이다. 소로트화를 위해서는 준비교체시간 단축과 자재공급 시스템 개선이 선결되어야 한다. 소로트 운반은 1회 운반량을 낮게 유지하고 운반횟수는 더 자주 하면 된다. 소로트 운반을 위해서는 용기 소형화와 표준화, 순회보급, 혼재운반이 필요하며 표준작업에 따라 보급이 수행되어야 한다.

소로트화는 여러 가지 난관이 많지만 역시 의지가 중요하다. "준비교체시간 줄면 소로트화 하겠다."는 전개방식은 자칫 핑곗거리로 전락할 수 있다. 대로트는 공정재고를 필요 이상으로 늘리고 리드타임이 길어져 여러 가지 추가적인 문제를 유발한다. 소로트화는 흐름화를 위해 반드시 추진해야 하며 그 효과는 기대 이상이다.

후공정과 전공정을 동기화하라

경기도 파주에 있는 E사는 대기업 1차 협력사다. 2017년부터 2년 동안 지도했다. 지게차용 제관품(예를 들면 brake/accel pedal)을 만들어 납품한다. 공정흐름은 철판 투입해 레이저 절단하고 프레스나 가공기로 절곡, 가공해서 단품을 준비한다. 지그를 사용해 단품들을 용접해 반제품을 만들고, 이후 도장과 조립을 거쳐 완성품 창고에 입고하는 형태다. 지게차는 승용차에 비해 옵션이 매우 다양하고 다품종 소량생산이다. 고객은 D+4일 확정오더와 D+8일 예시 물량을 준다. 가끔은 D+4일 확정오더도 변경되곤 한다. 긴급이라는 이유다. 4일이란 납기는 타 업종에 비하면 정말 촉박한 기간이다. 까딱하면 납기 못 맞추고 결품 나서 고객라인 뒤집어진다.

공장에 처음 갔더니 창고든 라인이든 물건으로 꽉 차 있었다. 거쳐야 할 공정이 많고 4일 만에 물건을 납품해야 하니 선행생산을 할 수밖에 없다. 선행생산의 리스크는 예측해서 미리 만들었지만 예측이 빗나간 경우 재고로 가지고 있을 수밖에 없다. 머피의 법칙도 아니고 꼭 이거다 싶어 만들어 놓으면 주문 안 들어온다. 딴것 만들어 달란다. 정작 필요한 물건 만들 시간을 뺏긴 셈이다.

곳곳에 투입된 단품과 완성품이 되지 못한 재공품, 반제품들이 어찌나 많은지 공장이 무척 어지러웠다. 완전 도떼기시장이다. 이런 상황에는 5S(정리, 정돈, 청소활동을 의미한다.)를 해봐야 티도 안 날뿐더러 쉽게 할 수도 없다. 먼저 5S 활동하기 쉬운 구조를 만들어야 한다. 재공을 줄이면 된다. 선행생산을 최대한 배제해 고객이 요구하는 제품만 만들면 된다. 말처럼 쉬운 일이 아니다. 그러기 위해선 흐름을 좋게 해 리드타임을 어떻게든 'D+4일'에 맞추는 수밖에 없다. 흐름을 좋게 하려면 전공정과 후공정을 동기화해야 한다. 동기화를 통해 정체를 유발하는 재공을 최소화해야 한다. 그래야 흘러간다.

도장 이후 조립과 출하는 큰 무리 없이 푸시(push) 방식으로 흘러도 문제없었다. 문제는 병목(bottleneck) 공정인 용접공정이었다. 택트타임도 길고 가접(假接) 용접, 완성 용접, 교정 작업 등 세부공정이 많았다. 문제는 작업자에도 있었다. 경기도 서북단 파주는 사람 구하기가 힘들다. 특히 용접, 도장처럼 3D 업종은 최악이다. 심지어 외국인 근로자 구하기도 힘들다. 힘들게 구해놓으면 일주일을 못 간다. 힘들다고 나가고 회사 맘에 안 든다고 나간다. 용접과 도장은 품질확보가 중요해서 고숙련 작업자가 필요하다. 사람 문제야 당장 해결이 안 되니 장기적으로 개선하기로 하고 우선 흐름화를 추진했다. 큰 흐름을 잡는 것이 급선무다. 모범 답안은 Pull System(당기기 방식)이다. Pull System은 전공정과 후공정 사이에 스토어를 설치해 손쉽게 구현할 수 있다.

창고(warehouse), 스토어(store), 라인사이드(lineside)의 차이를 아는가? 모두 다 물건을 보관하는 장소다. 창고는 설명이 필요 없고 스토어는 편의점의 진열 선반에 비유해 생긴 용어다. 전공정에서 생산한 모든 품종을 필요한 만큼 인수할 수 있도록 물건을 보관하는 장소다. 후보충 생산에서는 '주연(主演)급' 역할을 한다. 창고와 비슷하지만 그 용도와 활용방식이 다르기에 창고라고 부르지 않는다. 스토어는 보통 4시간에서 12시간 이내 사용 물자를 보관하는 장소다. 스토어라는 용어 대신 '버퍼(Buffer)'라고도 부른다. 말 그대로 완충작용을 하는 곳이란 의미다. 전공정과 후공정의 능력 차이로 발생하는 생산량 차이를 버퍼를 통해 완충한다는 의미다.

라인사이드는 '플랫폼(platform)'이라고도 부른다. 작업장(work center)에 근접해 공정에 바로 투입되는 물건을 놓아두는 장소다. 순서생산에 있어서 재공품은 반드시 '행선지(생산 route)'와 '순번(투입 순서)'이 정해져 있다. 생산 루트와 투입 순서를 표시해둔 장소가 라인사이드 또는 플랫폼이다. 기차역의 플랫폼을 연상하면 쉽다. 라인사이드는 보통 1시간에서 4시간 이내 사용 물자를 보관하는 장소다. 필자는 보통 라인사이드는 한 타임(2시간) 정도의 물량, 스토어는 반나절에서 하루 정도의 물량, 보관한지 2~3일 넘어가면 창고로 본다. '창고 > 스토어 > 라인사이드'로 갈수록 보관량은 적어지고 물류 순환도 빠르다.

다품종 소량생산 체제에서 모든 품종을 스토어에 보관할 수는 없다. 아니, 중소기업엔 그만한 땅도 없다. 스토어에서 운영할 품목은 별도로 분석해서 정한다. 이때 가장 유용한 툴이 'PQ분석'이다. 'Q' 들어간다고 'Quality(품질)' 떠올리면 안 된다. PQ는 'Product Quantity'의 약어다. '양-품종 분석'으로 부르며 제품별 양을 분석하는 기법이다. 일정 기간 동안의 제품별 판매량(또는 생산량)을 막대 그래프로 왼쪽부터 많은 순서대로 정렬하면 된다. 제아무리 다품종 소량생산으로 관리하기 힘들다 하더라도 PQ분석을 해보면 실마리가 보인다.

PQ분석을 통해 제품들을 A-B-C그룹으로 분류한다. 분류하는 이유는 관리 정도를 차별화하기 위해서다. 양도 많고 자주 납품하는 품목들은 A그룹이다. 품목비율이 약 5%, 전체 생산 수량의 약 70% 정도로 기준을 삼는다. A그룹은 관리를 '간소화(簡素化)'한다. 신경 쓰지 않아도 착착 잘 나가도록 해주어야 한다는 의미다. 다음은 C그룹이다. 양도 적고 가끔, 정말 가끔 나가는 품목들이 C그룹이다. 품목비율이 약 70% 이상, 전체 생산 수량의 약 5% 정도로 기준을 삼는다. 수치는 절대적이지 않다. 업종과 상황에 맞게 내부에서 협의해 기준을 정하면 된다. C그룹 제품들은 돈도 안 되고 신경만 많이 쓰인다. 그렇다고 안 할 수도 없다. 수량 적다고 투덜대면 고객은 떠나간다. 돈 되는 A그룹이 있다면 반드시 돈 안 되는 C그룹이 있기 마련이다. C그룹은 관리를 '중점화(重點火)'한다. 집중해서 신경 써 대응해야 한다는 의미다. A도 C도 아닌 중간이 B그룹이다. B그룹은 관리를 '적정화(適正化)'한다. 적절하게 잘 조절해서 하라는 의미다. A그룹은 대량생산방식, 라인생산방식으로 제품별 배치에 적합하다. B그룹은 혼합식(GT) 배치, C그룹은 수주, 개별생산방식으로 공정별 배치가 적합하다.

PQ분석은 '80:20 법칙'이라고 부르는 '파레토 원칙(pareto principle)'과 닮았다. 개미집을 자세히 관찰해본 적이 있는가? 보통 개미를 근면 성실의 상징으로 알고 있지만 실제는 그렇지 않다. 개미집단을 자세히 살펴보면 여왕개미를 중심으로 수도 없이 많은 개미가 왔다 갔다 한다. 하지만 실제 일을 하는 개미는 20% 정도, 나머지 80%는 그냥 왔다 갔다 하는 개미라고 한다. 아무리 다품종 소량생산이라도 분석해보면 실제 회사를 먹여 살리는 제품은 5~10%에 불과하다. 이 제품들이 전체 매출의 70% 전후를 차지한다. 필자가 근 10년간 수십 번의 PQ분석을 해봤는데 대부분 유사하다. 정도의 차이만 있을 뿐 같은 양상을 띤다는 말이다.

지금 A그룹 제품이라도 언젠가는 B, C그룹이 된다. 반대로 B그룹 제품이 시장에서 반응이 좋아 A그룹이 되기도 한다. PQ분석을 주기적으로 해야 하는 이유다. 통상 자동차업종은 년 1회, 라이프사이클이 짧은 전기전자업종은 최소 반기 1회 주기로 해야 한다.

스토어에서 운영할 품목을 정했으면 이제 양(量)을 정할 차례다. 양은 PQ분석 결과를 반영해 ABC 그룹별로 정한다. 예를 들면 A급은 '최소(min) 1일치, 최대(max) 2일치'처럼 말이다. C급은 보통

'최소 0(zero), 최대 1로트'로 정한다. 가끔 만들기 때문에 미리 만들어 놓을 필요가 없다. 주문 오면 1로트 만들어서 주문량만큼 납품하고 나머지는 스토어에 보관하면 된다. 최대 수량은 1로트로도 충분하다.

스토어에서 운영할 아이템과 재고 기준(min, max)이 설정되었으면 소프트웨어는 모두 만들어진 셈이다. 이제 하드웨어만 만들면 된다. 스토어도 물건을 보관하는 장소이기에 '보관·식별체계'를 적용해야 한다. 주소번지(address) 정하고 스토어 명판, 부품 식별표를 붙이면 된다. 빠트리지 말아야 할 중요한 요소가 바로 '스토어 재고 현황판'이다. 품목별로 보관 위치, 최대-최소량과 현재고량, 정상인지 이상인지 상태(GYR)가 보이면 된다. 상태 표시는 현재고량이 최소량보다 떨어지면 'R(Red)' 표시, 즉 조만간 결품 난다는 의미다. 현재고량이 최대량보다 많으면 'Y(Yellow)' 표시, 즉 기준 재고보다 양이 초과됐으니 더 이상 만들면 안 된다는 의미다. 마지막 'G(Green)'은 적정재고 내에 있어서 정상이라는 의미다.

이제 하드웨어와 소프트웨어가 다 만들어졌다. 운영만 하면 된다. 다시 E사 사례로 돌아가 보자. 후공정인 도장공정과 전공정인 용접공정 사이에 '반제품 스토어'를 두었다. 도장공정은 반제품 스토어에서 필요한 만큼 가져다 쓰고, 스토어 내 반제품이 최소량에 도달하면 용접공정에서 자동 생산해 보충했다. '자동'이라는 말은 자동화(automation)를 의미하는 것이 아니라, 굳이 생산계획이나 작업지시를 내리지 않아도 스스로(알아서) 작업을 시작한다는 의미다. MES에서 최대량, 최소량, 로트수량을 기준정보로 입력하고, 최소량에 도달하면 한 로트가 자동으로 작업지시 내려가는 형태다. 그래야 스마트한 거다.

다음은 후공정인 용접과 전공정인 가공공정 사이에 '단품 스토어'를 두었다. 단품 스토어도 반제품 스토어와 동일한 방식으로 운영했다. 용접공정은 단품 스토어에서 필요한 만큼 가져다 쓰고, 스토어 내 단품이 최소량에 도달하면 빨리 가공해서 보충해 놓는다. 스토어에서 빠져나갔다는 의미는 후공정(고객)에서 필요한 물건이 나갔다는 의미다. 빠져나간 만큼 채워놓는다는 의미는 후공정이 필요한 물건만 만든다는 의미다. 스토어가 철저히 재고량을 통제하면서 후공정이 무엇이 필요한지 전공정에게 알려준다.

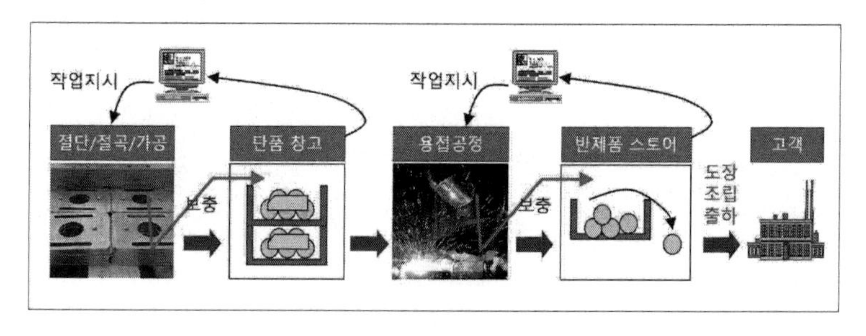

● 스토어 운영을 통한 Pull System(후보충 방식) 예시

자재 흐름의 동기화도 필요하다. 용접공정이 병목(neck) 공정이기에 택트타임을 줄여야 한다. 반제품 스토어에서 빠져나간 만큼만 빨리 생산해서 보충해야 하기에 낭비를 줄여 스피드를 높여야 한다. 제관업종을 워크 샘플링(work sampling)법으로 분석해보면 정미작업이 대략 40~45%다. 60%가 낭비란 말이다. 용접작업에서 정미

작업이란 고객 입장에서 가치 있는 시간, 즉 아크(arc)를 일으키는 (용접 불꽃이 튀는) 시간을 말한다. 나머지는 모두 간접작업이다. 준비하기, 도면보기, 호이스트 대기, 자재 핸들링 등이다. 대표적인 돈 안 되는 시간이 자재 핸들링하는 시간이다. 자재 가지러 왔다 갔다 시간 다 까먹는다. 용접공정에는 별도의 자재보급을 진행했다. 보급작업자를 두고 용접에 필요한 단품을 '세트(set)화'해서 전용 대차로 보급했다. 2장에서 설명한 'SET 보급', 즉 마샬링 보급방식이다.

단품 가공을 외주 생산하는 경우도 마찬가지다. Min-Max 설정해 놓고 창고에서 빠진 만큼만 채워 넣으라고 하면 된다. 업체에게 '알아서 하라.'고 해도 좋다. 우리는 신경 안 쓸 테니 무조건 Min-Max 사이로만 재고를 유지하라고 하면 된다. 요즘 업체들 똑똑해서 알아서 잘한다. 업체에는 당기기 신호로 매뉴얼 간판이나 e-간판을 발행해도 된다. 간판 한 매당 한 로트(한 박스 또는 한 팔레트)다.

다소 장황하다 싶을 정도로 Pull System을 설명했다. Pull System의 핵심은 '동기화'다. 후공정과 전공정을 동기화하는 것이다. 동기화는 후공정이 필요한 만큼만 만드는 것이다. 동기화를 구현하기 위해 스토어를 두고 당기기 방식으로 운영한다.

필자가 직접 수행한 사례를 들어 설명했으니 보다 쉽게 이해했으리라 믿는다. 가공, 용접 중심의 제관업종을 사례로 들었지만 업종을 불문하고 구현 방식이나 메커니즘은 동일하다. 이제 정리를 해보자. 개선 후의 모습(image)이다.

사례 회사는 고객과 직접 연결된 SCM(Supply Chain Management, 공급망 관리) 시스템을 통해 오더를 받는다. 시스템에 오더 뜨면 스토어에 보관하고 있던 용접 반제품을 도장공정으로 투입한다. 도장공정으로만 작업지시를 내리면 된다. 다른 공정에는 별도 생산계획이 필요치 않다. 최초 투입공정인 절단부터 도장공정까지는 Pull 방식, 도장공정 이후는 Push 방식으로 흘러간다. 반제품 스토어에서 용접공정을 당기고(pull), 단품 스토어에서 가공공정을 당기는(pull) 방식이다. 2개의 스토어를 활용한 Pull System을 구현해 후공정과 전공정을 동기화하고 흐름을 개선했다.

효과는 바로 나타났다. 재공품이 줄기 시작했고 리드타임이 줄었다. 고객 납기인 D+4일까지는 아니더라도 상당히 근접했다. 리드타임이 줄어드니 선행생산도 없어지고 결품도 줄었다. 무엇보다도 공장 전체가 5S 활동이 용이한 구조로 변했다. 이제 공장을 확 뒤집을 차례다(뼈를 깎는 전사 5S 활동을 말한다).

여담이지만 E사는 1년 프로젝트로 시작했지만 요청이 와서 1년을 추가로 지도했다. 어렵게 구축된 시스템, 환골탈태(換骨奪胎)한 공장을 이대로 무너트릴 순 없다며 연장한 것이다. 지금까지도 무너지지 않고 잘 버티고 있다. 후에는 고객사에게 혁신 활동을 인정받아 지게차 핵심 부품인 '프레임(Frame, 지게차의 차체)'까지 수주해 승승장구하고 있다.

4장. 5S/VM,

정상과 이상이 보이게 한다

무엇이 어디에 얼마만큼 있는지 보이게 하라

서점이나 도서관에 가면 원하는 책을 쉽게 찾을 수 있다. 도서 검색기에서 책 제목 입력하고 재고 유무를 확인 후 '출력'을 누르면 간략한 배치도가 그려진 쪽지가 나온다. 쪽지에 적힌 구역번호(location)로 찾아가면 된다. 책 찾는 재미가 쏠쏠하다. 마트에서 쇼핑하는 느낌이다. 공장에 있는 창고, 스토어, 적치대 등 모든 보관소는 서점이나 도서관처럼 만들면 된다. 서점이나 도서관에서는 무엇이 어디에 얼마만큼 있는지 바로 보이기 때문이다.

창고의 '보관·식별체계' 수준이 어떤지 간략히 진단해보는 방법이 있다. 아무 직원이나 잡아서 "이 품번 좀 찾아주세요."라고 시켜본다. 찾는데 5분 이상 걸리면 문제가 있다고 판단한다. ERP, MES, WMS 같은 지원시스템이 있더라도 주소번지(address) 체계가 부실하면 찾는 데 오래 걸린다. 시스템이 없더라도 주소번지 체계만 잘

되어 있으면 바로 찾는다. 수년 전에 지도한 업체의 한 직원이 포기하고 돌아오는 것을 보았다. 시험에라도 떨어진 듯한 표정으로 "분명히 거기 있었는데……. 도저히 못 찾겠습니다!"라고 말했다.

제조 라인과 떼려야 뗄 수 없는 곳이 자재나 제품을 보관하는 창고다. 프로젝트를 시작하고 현장을 알아가려 창고에 가보면 의외로 주소번지 없는 공장이 많다.

"주소번지가 전혀 안 돼 있는데, 이래서야 물건 제대로 찾을 수 있습니까?" 필자가 물어본다.

"여기 있는 사람들은 대부분 잘 찾는데요." 자재담당자가 하는 말이다.

기업은 항상 사람이 돌고 돈다. 새로운 직원이 들어오기도 하고 부서를 이동하기도 한다. 누구나 쉽게 찾을 수 있도록 체계를 만들고 시각화해야 해야 하는 이유다.

● 창고는 서점이나 도서관처럼

창고의 바람직한 모습은 '무엇이 어디에 얼마만큼 있는지 쉽게 보이는 창고'다.

첫째, '어디에' 있는지 쉽게 알려면 주소번지가 필요하다. 공장 내 자재, 재공품, 완제품 등 모든 물품은 정위치 보관을 위해 주소번지 체계를 설계해 보관한다. 주소번지 체계는 보통 '대구역-중구역-소구역'으로 나눈다. 대구역은 공장에서 하나뿐인 명칭으로 '장소(zone)'를 말한다. 보통 A~Z로 표기한다. 중구역은 랙(rack) 같은 적치대 번호를 말한다. 보통 01~99로 표기한다. 소구역은 세부 열과 단을 말한다. 마찬가지로 01~99로 표기한다. 예를 들어 주소번지가 'A-03-11'라면 'A구역 3번째 랙에 1열 1단'으로 보면 이해가 쉽다. '단' 표시는 "상단에서부터 1, 2, 3으로 표시하는 게 맞다."고 말하는 사람도 있지만, 필자는 아래에서부터 1, 2, 3단으로 정하길 권한다. 아파트하고 똑같이 생각하면 쉽기 때문이다. 몇 단지, 몇 동 와서 몇 층, 몇 호로 오라고 하면 누구라도 찾아온다.

랙의 가장 위에는 절대로 물건을 두지 않는다. 필자가 현장 점검하면서 "저기 랙 제일 위에는 물건 두면 안 됩니다."라고 말하면, "창고가 워낙 부족해서 어쩔 수 없습니다."라는 대답이 99%다. "바로 치우겠습니다."라고 답하는 1%는 거의 없다. 실제 고객 요구 물량을 분석해 보면 자재를 필요 이상으로 많이 가지고 있다. 아니면 정작 필요한(당장 써야 하는) 물건은 없고, 필요 없는(장기재고, 단종재고 등) 물건이 자리를 차지하고 있어 저장 공간이 부족하다.

주소번지 체계를 수립했으면 그다음은 명판을 만들어 붙이면 된다. 주소번지 체계는 한번 만들면 웬만해선 바뀌지 않기 때문에 명판은 돈 좀 들여 외부 전문 업체에서 제작해 오면 보기 좋다. 구역 명판, 랙 번호 명판, 단과 열 번호까지 모두 붙인다. 명판은 가능한 크게 만들어야 한다. 가시성이 좋기 때문이다. 어느 회사에 갔더니 제품은 코끼리만 한데 명판은 A4 크기보다 작게 만들어 붙였더라. 명판 찾느라 한참을 헤맸다. 통상 공장 크기, 제품 크기에 따라 명판 크기도 따라가면 된다. 단과 열 번호는 명판보다는 페인트로 타각(打刻)한다.

● 창고는 무엇이 어디에 얼마만큼 있는지 보여야 한다.

둘째, '무엇이' 있는지 쉽게 알려면 부품 식별표를 붙인다. 부품 식별표에는 주소번지, 품명, 품번이 기본으로 들어간다. 현물과 비교하기 쉽게 부품 사진을 넣으면 더욱 좋다. 요즘은 전산시스템을 도입해 바코드나 QR코드를 넣는 업체도 많다. 부품 식별표는 보관 위치가 바뀔 수 있기에 탈부착이 쉽도록 자석식으로 만든다.

부품별 최대량(max), 최소량(min), 로트 사이즈를 넣으면 관리 수준이 높다. 재고관리 측면에서 정상과 이상이 바로 보이기 때문이다. 예를 들어 'Max 40개, Min 10개, Lot 30개'로 정해 놓은 경우, 최대로 적재할 수 있는 양은 40개를 넘지 않아야 하고, 최소 10개는 가지고 있어야 하며, 10개 남았을 때 한 로트 30개를 만들거나 구매해서 채워 넣으라는 의미다. 정량(定量) 관리 방법의 정석이다. 가끔 'Max 4000개, Min 1000개' 이런 식으로 붙여 놓은 업체를 봤다. 이런 경우는 소(小)박스 하나에 1000개가 적입수라면 'Max 4박스, Min 1박스'로 표기하는 게 바람직하다. 4000개 맞는지 세다가 세월 다 가기 때문이다.

셋째, '얼마만큼' 있는지 쉽게 알려면 재고현황판을 운영한다. 재고량을 한눈에 파악하고 "대략 이 정도?"가 아닌, 몇 개라고 확실하게 말할 수 있을 정도로 양을 관리할 수 있기 때문이다. 재고현황판에는 어느 주소번지에 어떤 품목(품번)이 있는지, 기준재고량은 몇 개인데 현재 재고는 몇 개가 있는지 표시하면 된다. 기준재고량과 비교해 정상인지 이상인지 쉽게 알 수 있도록 'GYR' 표시를 하면 가장 좋다. 현재 재고량이 Min보다 떨어지면 'R(Red)'로, 현재 재고가 Max보다 많으면 'Y(Yellow)'로, 기준재고 내에 있으면 'G(Green)'으로 표시한다.

"우리 회사는 시스템으로 관리하는데 재고현황판이 필요 없지 않나요?"라는 질문을 자주 받는다. ERP·MES에서 품번 입력하면 어디에 있는지 주소번지 알려준다. 현재 재고량도 바로 알 수 있다.

재고현황판은 정상과 이상을 한눈에 파악할 목적으로 운영하는 수단에 불과하다. Min·Max 기준정보를 입력해 두고 과잉발주 안 나가게, Min에 도달하면 'Red' 경고로 알람을 주고 자동으로 발주 나가면 된다. 이 정도 관리 수준이면 재고현황판 없어도 된다. 필자의 경험상 중소기업은 ERP·MES로 재고관리를 하는 업체라도 기준재고(Min·Max), 1회 발주량 등 기준정보를 입력해서 관리하는 곳이 흔치 않다. 단순히 보관 위치나 재고량 조회에 그치는 경우가 많다. 재고현황판이 필요한 이유다.

스마트팩토리를 지원하는 시스템으로 '스마트'하게 창고를 운영하는 기업이 늘고 있는 추세다. 대표적으로 ERP, MES, POP, WMS, DPS 등이 있다. ERP, MES, POP는 바코드나 QR코드를 이용해 자재 입·출고와 완제품 입·출고 관리를 실시간으로 처리한다. 라인에 투입되는 자재는 첫 공정에서 '작업 시작'을 누르는 순간 자재창고 재고에서 빠져나가며, 최종 공정에서 '작업 완료'를 누르는 순간 완제품 재고로 잡힌다.

WMS는 'Warehouse Management System'의 약어로 '창고관리 시스템'이라 부른다. 제품의 입고 시점부터 출고, 반품까지의 관리 업무 전반과 창고 내 위치관리 및 재고관리에 이르는 모든 과정을 바코드 또는 RFID(Radio Frequency Identification)를 접목해 실시간으로 관리할 수 있는 시스템이다. 자재가 입고되면 바코드를 부착하고 창고 내 비어있는 아무 랙에나 가져다 놓는다. PDA로 주소번지 명판에 박혀 있는 바코드를 찍으면 자동으로 이 자재를 어디에 보관했는지 주소번지가 저장된다. 지정석 개념이 아닌 자유석 개념으로 운영해 관리가 수월하고 공간을 효율적으로 사용할 수 있다.

● Warehouse Management System (출처: Clarkston)

출고 준비를 위해 피킹리스트(피킹할 대상과 수량, 저장 위치를 알려주는 문서)를 출력하면 자재들의 보관 위치를 고려해 최적의 동선(動線)으로 안내해 준다. 동일한 물건이 있으면 WMS가 선입선출(First In, First Out, 줄여서 FIFO)로 정해주므로 악성 재고 발생을 막는다. 피킹리스트를 보고 순서대로 자재 보관 위치로 이동해 자재를 내린 후 PDA로 바코드를 찍는다. 그 주소번지는 자동으로 빈칸이 되고 자재는 피킹이 완료된 것으로 처리된다.

초과출고나 오(悞)출고를 미연에 방지하거나 원천 차단할 수 있다. 창고 내에 제품 위치파악이 안 돼 재고 로스나 분실될 염려가 없다. 제품의 위치 이동도 이동할 제품의 바코드를 스캔하고 제품을 이동 후 다시 한번 스캔하면 이동이 완료된다. 출고될 제품도 출고 지역으로 이동 후 스캔하는 걸로 마무리된다.

2020년에 지도한 세종시 소재의 N사는 부자재 창고에 WMS를 도입해서 활용하고 있었다. 자재 입·출고와 피킹, 재고관리를 WMS를 통해 운영하다 보니 최소한의 인원으로 효율적으로 창고관리가 되는 모습이었다. 자재 결품이 거의 없고 피킹시간도 단축되어 조만간 원료 창고로 확대할 계획을 가지고 있었다.

디지털피킹시스템(DPS)은 'Digital Picking System'의 약어로 피킹작업을 위한 물류운영시스템이다. 제품 단위별로 피킹 표시기가 설치되어 피킹 수량을 표시하고, 출하거래처 또는 생산 순서대로 피킹작업을 진행하는 방식이다. 제품별로 표시기가 랙(셀)에 설치되어 있어 재고관리가 쉽다. DPS의 기본 흐름은 출고 데이터를 전송하면 표시기 점멸을 확인하고 상품 피킹 후 검수·출고하는 형태다.

선반(rack)의 칸마다 품목이 저장되어 있고 피킹작업자가 피킹하려는 주문의 고유번호를 입력하면 해당 주문에서 피킹해야 하는 품목들의 위치에서 선반에 설치된 디지털 표시기(LED)에 피킹 수량이 표시된다. 작업자는 표시기가 깜빡이고 있는 위치에서 표시된 수량만큼 피킹한 후 완료 버튼을 누른다. 점멸되고 있는 모든 선반의 상품을 피킹한 후 완료 버튼을 누르면 한 주문의 피킹작업이 완료된다.

● Digital Picking System (출처: Lightning Pick)

DPS의 장점은 작업자가 양손으로 작업할 수 있다는 것이며, 특히 장갑을 낀 채로 작업이 가능하다. 전표가 아니라 앞에 표시된 숫자판을 보고 작업하기 때문에 작업 미스도 없고 작업능률도 훨씬 향상된다.

기존 물류센터(창고)는 한 명이 전표 내용을 불러주면 다른 한 사람이 준비된 상품을 분배한다. DPS는 전표가 아닌 디지털표시기에 나타난 수량을 보고 작업하므로 두 사람이 하는 작업량을 한 사람만으로도 충분히 할 수 있다. 기존 전표에 의한 작업은 전표를 눈으로 보고, 입으로 불러주며, 귀로 들어가며 작업을 해야 해서 상당한 실수(휴먼에러)를 유발한다. 특히 사람의 눈에 의한 실수는 숫자를 잘못 읽는 경우보다 다른 행의 수량을 읽어 실수하는 미스가 전체의 95%를 차지한다. DPS는 대형 숫자판에 작업량이 나타나므로 이런 실수를 최소화한다. 또한 방금 들어온 초보자라도 짧은 시간에 금방 익숙해져 작업이 가능하며, 특히 파트타이머로 채용해 인건비를 절약할 수 있다.

재고실사도 용이하다. 기존 재고실사는 1년에 1회에서 2회 정도 이루어지며 재고를 조사하는데 2~3일 정도가 소요된다. 그러나 DPS는 재고 파악을 매일 실시할 수 있으며 시간도 20분 정도에 끝낼 수 있다. 또 정확한 재고 파악과 적기에 적량의 상품을 공급할 수 있으므로 재고 감소에 크게 기여할 수 있다.

필자가 지도한 지게차 완성차를 만드는 D사는 조립 중심으로 라인이 구성되어 있어서 자재 피킹과 보급이 매우 중요하다. 오래전부터 DPS를 도입해 자재창고에서 사용하고 있다. 보급지연, 보급오류, 보급누락과 같은 보급서비스 지표를 관리한다. DPS의 도움으로 피킹작업이 효율적으로 진행되니 지표 수준은 기대만큼 잘 나온다.

WMS나 DPS를 활용한 창고관리는 무엇이 어디에 얼마만큼 있는지 쉽게 보이게 해, 스마트하게 창고관리를 도와준다. 요즘은 손쉽게 스마트폰을 이용해 바코드 재고관리를 진행하는 기업도 늘어나는 추세다. 시스템이 잘 돌아가려면 보관·식별체계, 주소번지 체계는 반드시 필요하다. 비싼 돈 들여 아무리 파워풀한 시스템을 도입해도 무엇이 어디에 얼마만큼 있는지 쉽게 보이지 않는 창고에서는 제대로 힘을 발휘하지 못한다. 기본이 받쳐주지 못하기 때문이다.

왜 5S를 기본이라고 하는가?

망향휴게소(경부선 하행) 화장실은 휘황찬란(輝煌燦爛)하기로 유명하다. 필자는 몇 년 전 처음 망향휴게소 화장실에 갔을 때 잘못 들어간 줄 착각했다. 대중 화장실이 아니라 호텔 뺨치는 수준이다. 화장실이 눈부시게 깨끗하니 휴게소에 들르는 사람들이 많아졌다. 그러니 매출도 올랐다. 잠깐 볼일 보러 들렀다가 호텔 같은 화장실에서 기분 좋게 볼일 보고, 좋은 기분에 뭐라도 하나 사 먹고 가는 탓이다. 깨끗한 화장실이 명소가 되고 덩달아 휴게소 매출 향상에 효자 노릇을 한다.

망향휴게소는 2016년에 '전국 국민 행복 최우수 화장실'로 선정되었다. 단순히 쉬어가는 장소로서의 휴게소가 아닌 문화적, 감성적 소통 장소로 재탄생한 것이 이유라고 한다. 2019년에는 '느낌 있는' 고속도로 화장실 1위로 선정되기도 했다(한국도로공사 주관).

● 망향휴게소 화장실 전경

지하철에서 쩍벌남을 본 적 있는가? 쩍벌남은 '다리를 쩍 벌리고 앉는 남자'의 준말이다. 대중교통에서 다리 넓게 벌리고 앉아 다른 자리를 침범해 옆 사람을 불편하게 하는 행위를 하는 사람을 말한다. 쩍벌남이 있으면 대부분 눈살을 찌푸린다. 첫째, 보기 싫다. 둘째, 옆 사람에게 피해를 준다. 셋째, 다리를 쩍 벌리고 있어서 자리를 3개나 차지한다.

5S를 하는 이유도 별반 다르지 않다. 정리, 정돈, 청소를 하면 깨끗하고 단정해서 보기 좋다. 공장에 손님이 오면 청소부터 한다. 손님 맞을 준비를 하는 것이다. 깨끗한 공장, 깔끔한 현장이 첫인상을 좌우한다. 필자는 기업체 코칭하면서 항상 "고객에게 신뢰를 주는 현장이 되어야 합니다."라고 강조한다. 그 첫출발이 깨끗한 현장이

다.

고객이 방문하면 보통 라인 투어(line tour)를 한다. 내가 구매할 제품이 어떻게 만들어지는지 직접 현장을 보고 싶어서다. 현장이 깔끔하게 잘 운영되고 있으면 나머지는 그다지 중요하지 않다. 보통, 고객은 방문하기 전에 먼저 '이 회사랑 거래를 해야겠다!' 마음을 먹고 온다. 현장을 보는 건 실사(實査)해서 가부(可否)를 결정하기 보다는, 자기가 내린 결론에 확신을 갖고 싶어서다. '아! 이 정도면 믿고 거래할 수 있겠다.' '이 회사가 만든 제품은 안 봐도 믿을 수 있겠어!' 정도는 되어야 한다.

5S가 안 되면 찍벌남이 일으킨 폐해(弊害)처럼 자리가 부족해진다. 불필요한 물건이 많으면 쓸데없이 공간을 차지해 한정된 공간이 부족해지기 때문이다. 요즘 아파트 무척 비싸다. 서울은 평당 1억 원이 넘는 아파트도 수두룩하다. 집에 버리지 못해 안 쓰는 물건이 많으면 30평대 아파트도 20평대 아파트에 사는 것과 똑같다. 공장도 마찬가지다. 우리나라는 땅덩어리가 좁다. 중소기업들은 넓은 공장 부지를 갖기가 어렵다. 중소기업 처음 방문해서 애로사항이 뭐냐고 물어보면 대부분 똑같은 답이 돌아온다. "공장 부지가 너무 좁습니다."이다. 안 쓰는 물건, 안 쓰는 설비, 필요 이상으로 많은 자재나 재공 때문에 좁다고 하는 회사는 한 군데도 없다. 그냥 땅이 좁아서란다.

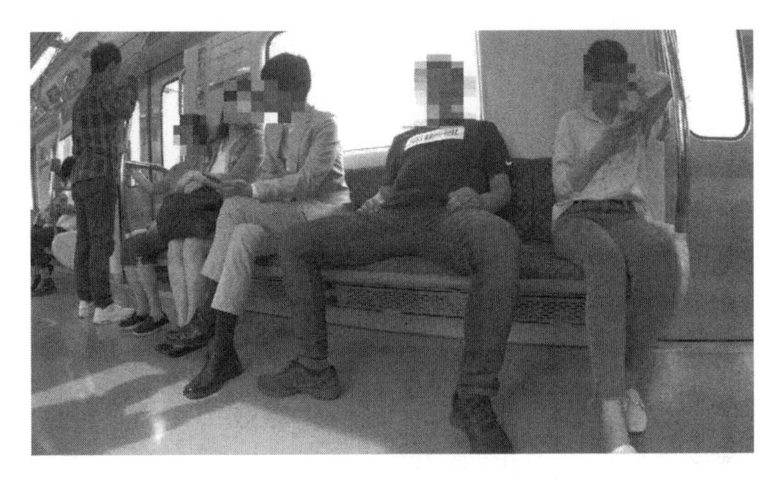

● 지하철의 쩍벌남. 남들에 대한 배려가 없다. (출처: 유튜브 붓싼뉴스)

공용 물건 쓰고 제자리에 놓지 않으면 다른 동료에게 피해를 준다. 공장의 기본이 되는 5S에 대한 고(故) 이건희 회장의 통찰을 보여주는 일화가 있다. 이 회장이 1993년 '프랑크푸르트 선언'을 하려고 독일로 이동하는 비행기 안에서의 일이다. 프랑크푸르트 선언은 독일 프랑크푸르트에서 주요 계열사 사장들을 모아놓고 "마누라와 자식만 빼고 다 바꾸라!"는 변화와 혁신을 강조한 신경영 선언이다. 프랑크푸르트행 비행기에 몸을 실은 이 회장이 서류 뭉치 하나를 비서실장에게 건넨다. "이거 한번 돌려가며 읽고 왜 이런 일이 반복되는지 근본 원인을 찾아보세요."

비서실장의 손에 쥐어진 것은 '기보 보고서'라는 문건이다. 일본인 고문 '기보'가 삼성전자의 현장 문제점에 대해 조목조목 비판한 보고서다. "직원들은 내가 공구 쓰고 제자리에 놓으라고 지난 10여년간 얘기했지만 아직도 변함이 없다. 이제 내 한계를 넘어섰다." 내용인즉 일본 고문이 잘 안 되고 있는 5S 활동을 회장에게 직접 고자질한 보고서다. 보고서를 읽은 몇몇 임원이 발언을 했다.

"처벌 규정이 약하기 때문입니다."

"책임의식이 없기 때문입니다."

여러 대답이 나왔지만 이 회장은 고개만 저었다. 12시간의 비행 동안 두 번을 더 읽고 의견을 말했지만 이 회장은 아니라고만 대답한다. 프랑크푸르트에 도착하고 나서야 이 회장은 말한다.

"모두 틀렸습니다. 우리가 5S 활동이 잘 안 되는 이유는 자기 자신을 사랑하지 않기 때문입니다."

자기가 존중받으려면 남을 먼저 존중해야 한다는 의미다. 남을 위해 정리정돈하지 않는 것은 곧 자기 학대인 셈이며, 정리정돈 속에는 '인간 존중'의 의식이 깔려 있다.

UN이 정한 새로운 연령분류 기준을 아는가? 의학은 점점 발달하고 인간의 수명은 길어졌다. 2015년 UN은 인류의 체질과 평균 수명을 고려해 생애 주기를 5단계로 나눈 새로운 기준을 발표했다. 0세~17세는 미성년자(underage), 18세~65세는 청년(youth), 66세~79세 중년(middle-aged), 80세~99세는 노년(senior), 100세 이후는 장수 노인(long-lived elderly)이다. 필자도 새로운 연령 분류 기준 덕분에 졸지에 청년이 되었다. 독자들도 최소한 노년이 되는 80세까지 일해야 된다면 몇 년이 남았는지 계산해 보기 바란다.

필자는 이 뉴스를 접하고 문득 두 가지 생각이 들었다. 첫째는

'앞으로 30년 더 일해야 한다니, 남들보다 잘하는 나만의 뭔가가 있지 않으면 힘들겠구나!'하고 생각했다. 둘째는 '30년을 더 일해야 하는 데, 그 일이 즐거웠으면 좋겠다.'라고 생각했다.

우리가 지금 일하고 있는 공장도 별반 다르지 않다고 생각한다. 평생직장이라는 개념이 예전보다 많이 퇴색되기 했지만, 지금 속해 있는 내 조직이 남들보다 잘하는 뭔가가 있어야 지속가능할 수 있다. 그 뭔가는 좋은 제품이거나, 좋은 제품을 만드는 기술력이거나, 아니면 남들보다 싸게 만드는 생산력일 수도 있다. 또한 일하는 게 즐거우려면 내 근무환경이 깨끗하고, 안전하고, 무엇보다도 직원들의 표정이 밝아야 한다. 지저분하고 위험이 도사리는 현장에서는 밝은 얼굴을 기대하기 힘들다. 5S는 직원들을 밝게 만드는 힘이 있다.

● UN이 발표한 새로운 연령분류 기준 (출처: KBS 〈옥탑방의 문제아들〉)

우리나라 직장인의 평균 근무시간을 아는가? 몇 해 전에 11시간이 넘는다는 기사를 읽은 기억이 있다. 생각보다 근무시간이 길다고 느꼈다. 최근에는 주 52시간 정책으로 다소 줄어서 9시간 30분(2019년 9월, 정부 발표) 정도다. 회사 출퇴근하는 시간까지 합하면 대략 12시간이 넘는다. 회사에 있는 시간이나, 회사 밖에 있는 시간이나 비슷하다는 말이다. 집은 잠시 쉬었다 오는 곳일 뿐, 여전히 회사에서 보내는 시간이 많다.

내가 다니는 회사가 참 깨끗하고 깔끔하고 그랬으면 좋겠다. 환경이 깨끗해야 일할 맛도 난다. 지저분한 환경에서는 직원들도 모두 인상 쓰고 다닌다. 모두가 다니고 싶은 회사, 모두가 꿈꾸는 회사가 되어야 한다. 그러기 위해서는 깨끗한 회사, 깔끔한 현장이 되어야 한다.

제조업 하는 중소기업 사장님에게 묻고 싶다. 귀하의 회사는 직원들이 정말 다니고 싶을 정도로 공장 5S가 잘 되어 있는지. 요즘 사람 구하기 참 힘들다고 아우성이다. 취업준비생들은 취업이 안 된다고 난리, 중소기업 사장님들은 사람 없다고 난리다. 젊은 청년들은 대기업 아니면 공무원만 바라본다.

어떤 중소기업 사장님에게 들은 이야기가 있다. 신입 직원을 어렵게 뽑았는데 몇 달 뒤에 그만두겠더란다. 왜 그만두냐고 물었더니, 글쎄 어머니가 그만 두랬단다. 힘들게 공부시켜 놓은 외아들이 쥐꼬리만 한 월급 받고 야근에 특근에 힘들게 일하는 모습이 안쓰러워 아들 보고 그만두랬다는 거다. “돈 안 벌어도 좋으니, 회사 때려치우고 집에 있어!” 요즘 세태(世態)가 이렇다.

어렵게 구한 직원이 연락도 없이 나오지 않는 이유는 또 있다. 공장 근무환경(5S 상태)이 나빠서다. 가끔은 '이건 정말 아니다!' 싶을 정도의 공장이 있다. 공장 규모를 떠나 현장이 '철공소 저리 가라.' 싶을 정도로 지저분하기 때문이다. 수년 전 어느 중소기업에서 전 직원 모아놓고 혁신을 주제로 특강을 하다가, 갑자기 쥐가 튀어나와 교육장이 발칵 뒤집어졌던 기억이 있다. 쥐가 어찌나 잘 먹었던지 마동석(영화배우) 팔뚝만 했다.

새로 뽑은 직원이 '열심히 일해야지!' 하고 취업했다가 '이건 아니지!' 하고 도망간다. 반대로 5S가 잘 되어 있고 현장 분위기가 밝은 곳은 나가라고 해도 안 나간다. 현실이 이런데도 중소기업 사장님은 "요즘 젊은이들 인내심 없다."며 나간 직원 탓만 한다. 자기 공장이 어떤지는 생각도 안 하고.

5S를 공장 운영의 기본이라고 말하는데 이의를 제기하는 사람은 없다. 기본이라고는 하지만 좀처럼 쉽지 않다. 조금만 방심하면 쉽게 무너지기 때문이다. 경영자부터 솔선수범하고 부지런히 챙겨야 한다. 교육으로만 해결되지 않는다. 강력한 의지를 가지고 전임직원과 소통해야 하고, 무엇보다도 지속적으로 해야 한다.

기본기가 갖춰져 있으면 또 다른 뭔가를 추진하기가 쉽다. 물류 개선, 생산성 개선, 불량 개선 등 할 일은 많다. 5S가 생산성, 원가, 품질에 직간접으로 영향을 미치기 때문이다. 하지만 5S라는 기본이 부실하면 다른 활동들은 모래성을 쌓는 것과 마찬가지다. 파도에 쉽게 쓸려간다. 무너지지 않는 성을 쌓아야 한다. 철근과 콘크리트로

굳건히 버틸 수 있는 뼈대가 필요하다. 튼튼한 뼈대는 전원참여다. 전원이 참여하지 않고 5S 활동 잘되는 공장은 본 적이 없다. 5S만 잘한다고 돈 많이 버는 공장, 강한 현장이 되는 건 아니다. 하지만 강한 현장이 되려면 5S 활동은 필수다.

돈 되는 5S를 하라

5S의 탄생은 안전 문제로 일본에서 시작되었다. 일본은 지진이 많은 나라다. 지진이 일어나면 책상이나 선반에 놓아둔 물건들이 떨어진다. 선반 위에 있는 가위가 지진으로 떨어져 사람의 발등을 찍을 수 있는 거다. 지진은 어쩔 수 없다 치더라도 최소한 안전을 위협하는 상황은 발생하지 않도록 하는 것이 최선이라 생각했다. 방법은 모든 물건에 자리를 정하고, 쓰고 나면 안전하게 제자리에 두는 것이다.

5S는 탄생 배경이 말해주듯 일본에서 건너온 운동이다. 5S라는 용어는 일본어 단어인 정리(seiri), 정돈(seoton), 청소(seiso), 청결(seiketsu), 습관화(shitsuke)의 머리글자를 딴 것이다. 린에서는 이 테크닉을 묘사하는 5S의 앞글자를 동일하게 유지하기 위해 'S'로 시작하는 5개의 영어 단어를 선택했다. 5S는 정리(sort), 정돈(set in order), 청소(shine), 청결(standardize), 생활화(sustain)이다.

5S에서 가장 먼저 해야 할 일은 '정리'다. 정리는 필요한 것과 불필요한 것을 구분해 불필요한 물건은 과감히 버리는 행위다. 정리의 키워드는 '버리는 것'이다. 정리하면 능률이 오른다. '정돈'은 필요한 것을 사용하기 쉽게 제자리에 놓아 누구나 알 수 있도록 표시하는 것이다. 정돈의 키워드는 '누가 봐도'이다. 누가 봐도 알 수 없으면 정돈이 불량한 상태다. 누가 봐도 알 수 있으려면 각종 물품의 보관 수량과 보관 장소를 정해 놓고 표시해두어야 한다. 정돈하면 찾아야 하는 불필요가 없어진다.

'3정'은 정돈하는 구체적인 방법으로 이해하면 된다. 3정은 '정품, 정량, 정위치'를 말한다. '정품'은 보관해야 할 품목을 정하고 어떠한 방법으로 보관할 것인가를 결정해 물건의 품명을 표시하는 것이다. '정량'은 보관 물품의 사용 상태를 파악한 후, 적정한 보관 수량(최대·최소량)을 표시하는 것이다. 마지막 '정위치'는 보관 위치를 결정하고 주소번지를 표시해 정해진 위치(장소)를 명확히 하는 것이다. 3정이라는 표준화를 통해 정상과 이상이 쉽게 구분될 수 있다. 게다가 누구나 정확하고 쉽게 물품을 관리하고 확인할 수 있다.

'청소'는 작업장의 바닥, 벽, 설비 비품 등 모든 것의 구석구석을 닦아 먼지, 이물질을 제거해 더럽지 않은 작업환경을 조성하는 것이다. 작업장은 깨끗하고 밝아서 사람들이 즐겁게 일할 수 있는 장소가 돼야 한다. 청소하면 자연스레 주변 점검이 된다. 바닥 청소하다 보면 불필요한 물건이 굴러다니는지 알 수 있다. 설비를 청소할 땐 이상한 소리나 특정 부위의 마모를 인지할 수도 있다. 청소의 키워드는 '점검'이다. 청소를 하면 기분이 유쾌해진다. 자가용을 직접 세차했을 때를 떠올려보라. 힘은 들지만 먼지와 묶은 때로 찌든 똥차가 새 차 되는 기분이다. 청소는 능률 향상의 토대가 된다.

'청결'은 정리, 정돈, 청소된 상태를 철저히 유지하고 개선하는 것이다. 먼지, 쓰레기 등 더러움 없이 깨끗하고 언제나 눈으로 보아 문제점이 발생되었을 때 이것을 한눈에 발견할 수 있는 상태를 유지하는 것이다. 청결한 직장이 되려면 불필요한 물건을 들여놓지 않아야 한다. 간편하고 정확하게 정돈을 하고 더러워지면 바로 즉시 깨끗이 한다. 어떻게 하면 더럽히지 않을까 항상 연구한다.

기계가공업종에 가면 절삭된 칩가루가 널려 있는 모습을 흔히 볼 수 있다. 기계 주변 바닥으로만 떨어지면 그나마 다행이다. 어떤 기계에서는 5미터 이상을 날아가 떨어진다. 청소하는데 한참 걸린다. 청결한 공장에 가보면 가공설비 주위에 투명 펜스가 쳐져 있다. 칩가루 비산(飛散)을 방지해 청소를 빨리 쉽게 할 수 있다. 조금만 연구하면 힘들게 청소하지 않아도 되는 상황들이 많다. 청결은 낭비제거의 첫걸음이다.

'습관화'는 생활화, 마음가짐으로도 표현한다. 회사의 규율이나 규칙, 작업방법 등을 정해진 대로 준수하는 것이 몸에 익어 무의식 상태에서도 지킬 수 있다. 정해진 것을 정해진 대로 올바르게 실행할 수 있도록 생활화한다. 습관이 형성되는 데는 약 20일, 즉 3주가 걸린다고 한다. 습관에서 벗어난 행동에 대해서 '잘못되었다'라고 느낄 때, 습관이 형성되었다는 사실을 알게 된다. 모든 직원이 사용한 공구를 보관함에 다시 놓지 않고, 구석에 쌓인 쓰레기를 그냥 두고, 다 쓰면 채우는 것을 무시한다면 불편함을 느껴야 한다. 만일을 위해서 당장 쓰지도 않는 물건을 저장하거나, 5S 환경을 유지하는 목표와 일치하지 않는 행동을 할 때도 불편함을 느껴야 한다. 습관화에서 시작해서 습관화를 생활화해야 한다.

5S는 생산방식에 어떤 역할을 할까? 우선 5S는 직원들의 하고자 하는 의욕과 사기를 높인다. "우리도 할 수 있다."는 자신감과 혁신 기반을 조성한다. 혁신기반이 탄탄하면 어떤 혁신과제를 하더라도 성공할 확률이 높다. 5S가 잘 되어 있는 공장은 낭비가 잘 보이기 시작한다. 일단 낭비가 보이면 낭비제거가 수월하다. 낭비는 우리 현장 곳곳에 숨어 있어서 웬만하면 잘 보이지 않기 때문이다.

공정, 불량, 설비, 물류, 기종변경 등의 낭비가 제거되면 소로트화를 추진할 수 있다. 소로트화가 되면 재고를 최소한으로 가져가면서 단납기로 고객이 요구한 수요를 충족시킬 수 있다. 강한 생산력을 바탕으로 남들보다 싸게 만들 수 있어 원가경쟁력이 높아진다.

5S 활동을 실행함으로써 생산성은 높이고 안전은 더욱 완전하게 지킬 수 있다. 생산성 측면에서 청결 상태가 좋아져 불량률을 낮추고 기계 수명을 늘릴 수 있다. 정리와 정돈활동을 바탕으로 원가 절감과 능률을 향상시킬 수 있다. 보관 물품을 신속하게 찾을 수 있어 제품 완성 시간을 줄이고 품질 또한 높일 수 있다. 무엇보다도 중요한 것은 안전한 환경 조성에 있다. 깨끗하게 정리정돈된 환

경은 작업장의 안전성을 높여준다. 안전을 고려한 보관방법과 통로, 휴게장소 확보로 생산현장이 보다 안전해진다.

5S 활동한다고 금방 돈이 되는 것은 아니다. 정리정돈하고 청소 부지런히 한다고 생산성과 품질이 바로 좋아지지 않기 때문이다. 중요한 건 알겠는데, 바로 돈이 안 되니 경영자는 "이거 지금 당장 해야 하나? 이거보다 시급한 게 더 많은데……."라고 말하기 쉽다.

5S는 일하는 방식을 바꿈으로써 자연스럽게 생산성 효과로 이어진다. 가동 로스, 능률 로스, 편성 로스는 노동생산성을 저해하는 대표적인 낭비다. 필요한 물건을 찾는데 많은 시간이 소요되거나, 운반에 많은 시간이 소요되면 '가동 로스'를 유발한다. 정리와 정돈하면 가동 로스가 줄어든다. 더러운 현장, 지저분한 설비, 어두운 조명은 의욕을 떨어뜨린다. 하고 싶은 마음이 생기지 않는 것, 소위 의욕저하는 '능률 로스'를 유발한다. 청소와 청결은 의욕을 높여서 능률 로스가 줄어든다.

설비 6대 로스는 설비생산성을 저해하는 대표적인 낭비다. 설비 노후화를 인지하지 못하거나, 고장 가능 부위를 몰랐거나, 기존 고장에 대한 재발 방지 조치가 없으면 '고장 로스'를 유발한다. 청소와 청결하면 고장 로스가 줄어든다. 작업 순서가 불명확하거나, 금형·치공구 정리정돈이 안 되어 있으면 품종교체에 따른 '준비교체·조정 로스'를 유발한다. 정리정돈만 잘해도 준비교체나 조정 로스가 줄어든다.

설비기능 저하를 사전에 감지하지 못했거나, 윤활·급유·조임 등 일상관리가 부실하면 속도저하 로스, 순간정지 로스 등 성능 로스를 유발한다. 청소와 청결하면 '성능 로스'가 줄어든다. 설비 각 부분이 제 기능을 못 하거나, 검사구 정밀도 확보 및 유지가 부족하거나, Setting 정밀도가 부족하면 수정 로스, 초기수율 로스 등 '불량 로스'를 유발한다. 정돈, 청소, 청결하면 불량 로스가 줄어든다.

제품 1개 만드는 데 걸리는 시간을 줄이면 생산성이 높아진다. 작업장을 표준화하면 사이클 타임이 줄어든다. 작업장의 실제 사이즈, 필요 물자, 재질, 놓는 위치, 색상, 바닥구획선, 작업자 위치, 작업동선, 운반구, 대기·완료 Space, 각종 표준류 게시 방법, 작업점 등이 '작업장(work center) 표준화'의 대상이다. 예를 들어 용접 작업장이 10개 있다면, 우선 작업장 표준 이미지 모델을 만들고 1개 작업장에 시범 적용해본다. 문제점을 보완해 나머지 9개 작업장으로 확산 적용하면 된다. 작업장 표준화가 되면 용접사가 어느 작업장에 투입되어도 동일한 작업장으로 느끼기에 실수로 인한 불량이 줄어든다. 게다가 익숙한 손놀림으로 작업시간이 줄어들어 생산성이 향상된다.

조직문화와 접목한 5S

5S 활동 성공의 비결은 따로 정해진 것이 없다. 누구나 강조하듯 전원이 참여하고 끈기가 전제되어야 한다. 필자는 조직이 가지고 있는 고유의 문화와 접목하는 지혜가 필요하다 생각한다. 강한 조직문화를 추구하는지, 소프트한 조직문화를 추구하는지 누구보다도 잘 알고 있는 사람은 바로 우리 자신이다. 개성을 중요시하는 분위기라면 자율성을 발휘하도록 한다. 정해진 틀만 있으면 잘 따라오는 분위기라면 약간의 강제성도 도움이 된다.

필자의 3정5S 추진 성공 사례를 두 회사 정도 소개할까 한다. 한 회사는 화장품 업종으로 소프트(soft)한 문화를 가지고 있다. 현장작업자는 설비를 관리하는 OP(operator의 줄임말)를 제외하면 대부분 여직원이다. 두 번째 회사는 모듈 업종으로 하드(hard)하고 다소 거친 문화를 가지고 있다. 공장을 통틀어 관리부 외에 여직원은 한

명도 없다. 상반된 상황과 문화를 가지고 있는 두 회사를 비교해봐도 좋겠다.

세종시에 위치한 N사는 화장품 제조업체다. 170명의 직원이 근무하며 매출은 350억 정도다. 필자는 2017년에 N사를 지도한 바가 있다. 인연이 되었는지 2020년에 다시 요청을 받아 지도하게 되었다. 화장품 업종이다 보니 청결한 현장 유지가 필수다. 불량의 많은 부분을 이물(異物) 불량이 차지하고 있다. 고객사는 항시 청결관리에 신경 쓰라고 요구한다. 자체적으로도 CGMP 인증을 받아 유지하고 있다. CGMP는 'Cosmetics Good Manufacturing Practices'의 줄임말로 식품의약품안전처(식약처)에서 주관하고 있는 인증제도다. 요구사항이 까다롭고 유지관리도 만만치 않다.

3년 전 당시 3정5S 추진체계를 셋업하고 잘 운영되는 모습을 본 후 빠져나온 기억이 있다. '이 정도면 됐다. 자율적으로 잘할 거야!' 하고 프로젝트를 마무리했었다. 3년이 지난 2020년에 다시 방문해 보니 '아뿔싸, 그새 5S가 무너졌구나!' 싶었다. 그간의 상황을 들어 보니 경기 악화로 매출이 떨어지고 분위기가 좋지 않았단다. 그럴듯한 핑계로 들렸다.

5S 활동 추진은 제아무리 추진체계를 잘 만들었다 하더라도 방심하는 순간 우르르 무너지는 경향이 있다. "물량도 떨어지는데 정리정돈이 무슨 의미가 있습니까?" 하며 분위기 탓한다. 한두 번 반복하다 보면 그냥 망가진다. 생산량이 늘어나도 마찬가지다. "이 바쁜 상황에 물건 만드는 게 중요하지, 5S는 조금 여유가 생기면 합시

다." 청소하는 시간도 아깝단다. 한두 번 분임조 활동 스킵하면 현장작업자들도 "이건 뭐지?" 한다. 5S는 바쁘면 안 해도 되는 것으로 각인된다. 이런 상황은 모두 경영자나 공장장이 만든다. 하기로 했으면 목에 칼이 들어와도 해야 한다. 5S는 특히 그렇다.

5S 활동은 무너지기는 쉽지만 다시 일으키는 건 쉽지 않다. 힘이 곱절로 든다. N사의 5S 활동을 3년 전과 똑같이 할 수는 없었다. 작전이 필요했다. 현장을 몇 차례 둘러보고 관리자들과 인터뷰를 해봤다. "그래, 이거야!" 해답은 현장을 3정 5S가 용이한 구조로 만드는 것이었다.

화장품 업종의 특징상 포장라인의 비중이 크다. 인원도 가장 많이 배치되어 있었다. 포장 부자재로 현장이 꽉 잠겨 있었다. 내박스, 외박스, 포장용기(튜브, 캡) 등 종류도 다양했다. 릴리프(보급담당자)는 별도로 지정되어 있었지만 1회 보급량이 반나절 또는 1일치로 과다했다. 현장에 부자재가 최소한만 있으면 5S 활동이 훨씬 수월해 질 것임을 직감했다.

보통 공장에 가서 "정리정돈하고 청소합시다." 하면 서로 얼굴만 멀뚱멀뚱 바라볼 뿐 움직이지 않는다. 어디서부터 손을 대야 할지 모르기 때문이다. 3정5S가 용이한 구조를 만드는 것이 답이었다. 사람이나 설비는 쉽게 줄이지 못한다. 하지만 물건은 줄일 수 있다. 흐름화를 통해 자재와 재공품의 양을 줄이면 현장에 물건이 대폭 줄어든다. 3정5S가 용이한 구조가 되면 현장은 조금씩 움직이기 시작한다. 핸들링 해야 할 대상이 줄어들어 정돈이 수월하고 청소만 주기적으로 하면 되기 때문이다.

포장라인에 보급체계를 도입해 시간 단위로 부자재 보급을 진행했다. 라인별로 보급룰(rule)을 만들고 보급 시작점인 준비실과 보급 도착점인 라인사이드에 주소번지 체계를 도입했다. 현장에 명판을 붙이고 바닥구획선을 정비했다. 운반대상, 운반량, 운반주기, 운반담당자, 운반 도구가 자세히 기술된 보급표준을 만들어 릴리프를 교육시켰다. 보급방식을 변경한 사유에 대해 충분히 설명하고 협조를 당부했다. 대략 2개월이 지나자 효과가 나타났다. 현장에 머무는 부자재가 줄면서 5S 활동하기가 편해졌고 풀풀 날리던 종이박스 먼지도 줄어들었다.

매주 수요일 30분은 분임조 활동시간으로 정했다. 정리정돈 또는 설비 청소를 분임조장 책임 하에 테마를 정해 진행했다. 화장품 업종은 특히 주부 사원이 많다. 정돈하고 청소하는 것에 대해 부담감이 별로 없고 손끝이 디테일하다. 또 하나의 특징은 주부 사원들이 질투심이 강하다. 선의의 경쟁이 될 만한 당근을 주면 효력을 금세 발휘한다. 공장장에게 제안해 우수 분임조에 대해 월별 포상을 주기로 했다. 총 8개의 분임조가 편성되었고 평가점수 1등 50만 원, 2등 30만 원의 포상을 매월 시행했다.

간혹 보면 직원들에게 돈 쓰는 일에 유난히 인색한 경영자들이 있다. 접대 한번 안 하고 회식 한번 줄이면 되는 비용인데, 직원들에게 쓰는 건 아깝게 여기나 보다.

“굳이 포상까지 줘야 합니까?”라며 난색을 표한다. 어떤 경영자는 이렇게 말한다.

“포상 주는 거 전혀 아깝지 않습니다. 직원들이 잘하면 주겠습니다.” 필자의 생각은 다르다. 포상은 잘하라고 주는 거다.

5S 추진 효과는 굳이 오래 기다릴 필요가 없었다. 자율 경쟁이 자연스럽게 정착된 것이다. 반조장급의 현장관리자가 자발적으로 추진사무국에 지원을 요청하고 필요한 청소도구나 물품을 구매해 달라고 했다. 이 정도 분위기면 잘 돌아간다는 시그널이다.

풀어야 할 난관이 하나 더 있었다. 잘 돌아가던 5S 체계가 쉽게 무너졌던 경험이 있기에 ‘어떻게 해야 지속적으로 유지할 수 있을까?’가 고민이었다. 5S 표준을 만들어 활용키로 했다. 정돈지침서를 만들고 청소지침서를 만들었다. 복잡하지 않게 핵심만 담아(사진 중심으로) 지침서를 만들고 현장 곳곳에 비치했다. 현장은 사람이 바뀔 가능성이 늘 존재한다. 사람이 바뀌어도 신입 직원이 들어와도 표준이 있으면 따라 하기 쉽다. N사는 지금도 5S 표준을 계속 만들고 있다. 공장장에게 5S는 잠시라도 멈추면 지난번처럼 금방 무너진다고 신신당부를 하고 나왔다.

N사를 지도하면서 기억에 남는 직원이 있다. 여직원이었다. 현장직으로 입사해서 능력을 인정받아 생산부 스텝으로 일하는 주임이었다(중소기업은 사원과 대리 사이에 주임 직급이 있다). 생산팀장은 이 주임에게 가장 난제인 ‘부자재 보급체계 운영’ 과제를 맡겼다. 쉽지 않은 과제라 필자도 반신반의했다. ‘주임급이 얼마나 성과를 내겠어?’하고 별 기대를 안 했다. 하루는 휴게실에서 이 주임이 직원들과 나누는 이야기를 우연히 듣게 되었다.

“룰은 만들었으면 반드시 지켜야 하는 거야. 이 보급룰도 지금은 불편하겠지만 하다 보면 익숙해질 거야. 같이 한번 해보자!”

'어라, 이 친구 예사롭지 않네.' 필자는 감동 먹었다.

필자는 이런 직원을 혁신의 '트리거(trigger)'라고 표현한다. 트리거는 총의 방아쇠다. 방아쇠를 당겨야 총알이 나간다. 현장에 혁신의 트리거가 한두 명만 있어도 어떻게든 끌고 갈 수 있다. N사의 이 주임은 두고두고 기억날 듯하다.

● 5S 포상은 현장을 춤추게 하고 자율 경쟁을 촉진한다.

두 번째 B사는 필자가 2016년 초봄에 프로젝트를 시작했다. 김포시에 위치한 B사는 지게차 운전석을 만드는 모듈업종이다. 철판 투입해서 용접하고 도장해서 운전석 조립 후 대기업에 납품한다. 80명의 직원이 근무하며 매출은 250억 정도다.

생산성, 물류, 품질 등 공장 전체의 혁신을 과제로 필자가 투입되었다. 앞에서도 누차 설명했지만 3정5S가 안 되어 있으면 다른 혁신 활동은 성과를 내기가 어렵다. 현장을 가보니 역시나 총체적 난국이었다. 용접장은 철공소 같았고, 도장장은 외국인 근로자들뿐이며, 조립장은 도떼기시장처럼 느껴졌다. 현장 직원들 표정은 무뚝뚝하다 못해 서로를 잡아먹을 듯 한결같이 '인상파'다. 회사에 뭔가 불만이 많아 보였다.

전 직원을 대상으로 설문조사를 했다. 일하면서 애로사항이 뭔지, 회사에 바라는 게 뭔지를 익명으로 조사했다. 예상했던 대로 엄청난 애로사항들이 나왔다. 필자는 리스트를 들고 대표이사를 찾아갔다.

"직원들이 이러이러한 애로사항이 있으니, 이번에 돈 좀 들여서 조치해 주십시오. 직원들에게 무언가를 요구하려면, 회사도 직원들 요구사항을 들어줘야 합니다."

대표이사는 모든 현장 직원들과 간담회를 진행했다. 외국인 근로자도 당연히 포함이다. 외국인 근로자들이 우리말 모른다고 배제하면 안 된다. 그 사람들도 엄연히 직원이고 그 사람들 손에서 제품이 만들어지기 때문이다. 우리말은 잘 못하지만 무슨 말인지는 다 알아듣는다. 사장님이 지금 혼내고 있는지 칭찬하고 있는지.

간담회를 통해서 대표이사는 공장의 변화 필요성에 대해 설득했다. 직원들 애로사항도 같이 경청했다. 진심을 가지고 직원들 마음을 얻기 위함이다. 직원 휴게실을 멋들어지게 만들어 줬다. 멈추었던 기념일 축하도 부활시켰다. 본인 생일과 결혼기념일에 회사가 집으로 케이크를 배달해준다. 등산, 축구 등 사내동호회 활동도 지원했다.

회사는 직원들 애로사항을 하나씩 하나씩 해결해주었다. 이제는 회사가 직원들에게 요구할 차례다. 무리한 요구는 아니다. 우리가 일하는 현장을 정리정돈하고 청소하자는 것이기 때문이다. 5S 운영 체계를 만들었다. 5S 조직도, 5S MAP, 5S 평가·보상체계 등 전사적으로 추진할 준비를 갖추었다.

B사는 직장, 반장급의 현장관리자가 있었다. 수당을 별도로 받았지만 하는 역할은 별로 없었다. 일반 작업자와 별반 다를 바 없었다. 직반장들도 "수당 안 받아도 좋으니 현장관리자 안 하고 싶습니다."라고 말했다. 현장관리자는 권위가 있어야 하고 평직원들이 우러러보는, 좇고 싶은 사람이 되어야 한다. 솔선수범과 리더십은 기본이다. 5S 활동에서 핵심은 현장관리자를 먼저 변화시키는 것이다.

현장관리자는 작업 투입에서 배제하는 것으로 원칙을 정했다. 다만 결원 생기면 작업해야 했다. 용접 1, 2반, 도장반, 조립 1, 2반 총 5개의 단위조직별로 현장 '5S 활동 현황판'을 만들고 직반장 책임 하에 자기 조직의 5S 운영을 맡겼다. 권한도 강화했지만 그만큼 책임도 부여했다. 필자는 매주 방문하면 현장 돌면서 5S 현황판 앞에서 현장관리자와 입식 미팅으로 진행 상황을 점검했다. 할 일은 제대로 하고 있는지, 부진한 활동은 독려하고 잘한 점은 칭찬했다.

3개월쯤 지났을까, 현장이 서서히 변화하기 시작했다. 물건은 정위치에 놓고 대차는 구획선에 맞춰 줄 세워 놓았다. 청소도 자발적으로 수시로 했다. 밝고 체계가 있는 공장으로 변화했다. 3정5S 상태가 좋아지니 휴먼에러 같은 고질 불량도 대폭 줄었다. 노사 간

신뢰가 쌓이고 이직률이 줄어들었다.

B사도 3정5S 평가를 통해 매월 포상했다. 앞서 소개한 N사와는 달리 포상에 그다지 일희일비(一喜一悲)하지 않는다. 현장 분위기는 철판으로 만드는 제품 무게만큼이나 묵직함이 있다. 포상금 몇 푼에 연연하지 않고 "해야 할 일이면 한다."는 분위기다. 존심이 있다.

강요나 지시에 의해서가 아닌 자율적인 5S, 리더(특히, 현장관리자)가 솔선수범하는 5S, 전원참여 방식의 5S가 성공비결이다. B사는 그해 이후 2년을 더 사후관리 지도했다. 어렵게 일구어낸 분위기를 무너뜨리지 않고 지속적으로 해보겠다는 대표이사의 의지가 그만큼 강했다.

보이게 일하라

분명 내비게이션이 말하는 대로 운전했는데 잠시 후 "경로를 이탈하였습니다."라는 안내가 들려 당황스러운 경험, 누구나 한 번쯤 있을 것이다. 혼잡한 교차로나 분기점, 나들목에서 이런 일이 종종 발생한다. 그런데 최근 늘어나는 이 '선'이 이런 혼란을 줄여주고 있다. 바로 어디서든 눈에 띄는 색으로 운전자의 시선을 사로잡는 '노면 색깔 유도선'이다.

노면 색깔 유도선은 차로 한가운데 이어 그린 분홍색과 녹색의 선을 말한다. 차로를 구분하기 위한 하얀 선, 노란 선과 달리 주로 교차로, 분기점, 나들목 같은 갈림길에서 주행 경로를 안내하는 역할을 한다. 운전자에게 특정 방향의 경로를 미리 알려주기 위한 것이기 때문에 선명한 색깔을 사용하는 것이 특징이다.

노면 색깔 유도선을 제안한 사람은 한국도로공사 공무원이다. 처음에는 이상한 아이디어라고 엄청 면박을 받았다고 한다. 노면 색깔 유도선은 2011년 서해안 고속도로 안산 분기점에 처음 시범 적용되었다. 안산 분기점은 연간 25건의 교통사고가 발생하는 곳인데, 노면 색깔 유도선 설치 후 교통사고가 3건으로 줄었다. 평소에 길치인 필자는 고속도로 이용할 때마다 얼굴 모를 그 공무원에게 감사한다.

● 헷갈리는 분기점. 노면 색깔 유도선은 '길치들의 구원'이라 불린다.

눈은 사람의 감각 중에서 가장 많은 정보를 처리한다. 뇌가 판단할 수 있는 정보의 70% 이상이 눈으로 정보를 입력한다. 그렇기 때문에 관리를 할 때에도 시각에 가장 많이 의존한다. 도로만 보더라도 각종 표지판과 차선을 볼 수 있다. 영화관 입구에는 좌석번호와 비상시 대피로를 표시한 배치도가 걸려 있다. 질서가 유지되도록 관리하거나 비상시에 신속하게 대처할 수 있도록 개발된 눈으로 보는 관리의 좋은 사례다.

'눈으로 보는 관리'란 정상과 이상을 눈으로 보아 누구나 알 수 있게 한 것이다. 현장에서 자율 신경을 갖게 한다. 무엇이 문제인가를 누구나 한눈에 알 수 있도록 관리에 도움을 준다. 정상과 이상이 시각적으로 보이면 신속하게 이상을 발견할 수 있다. 이상을 발견하면 즉시 대응과 신속한 조치가 가능하다.

눈으로 보는 관리는 Visual Management(이하 VM으로 부른다.), Visual Planning(GE에서 주로 사용), 가시관리, 목시관리 등 부르는 명칭도 다양하다. 관리항목의 이상과 변화를 한 눈에 보고 알 수 있도록 시각화하고, 가려진 것을 제거해 투명하게 하는 것이 VM이다. VM은 5S 활동을 통해 현장의 정리정돈이 이루어진 상태에서 추진하는 것이 효과적이다. 5S의 레벨업 개념으로 보기도 한다.

VM은 크게 두 가지 의미가 있다.

첫째, 눈으로 보기만 해도 신속하게 상태 확인이 가능하도록 만든다. 신속하다는 것은 단지 눈으로 볼 수 있게 한다는 의미가 아니라, 상태 확인을 쉽게 만든다는 것을 의미한다. 이것은 누가 보아도 쉽게 확인이 가능하다는 것이다. 예를 들어 주차장에 주차선이 있다면 어린아이가 보더라도 차가 주차를 잘했는지, 삐딱하게 했는지 알 수 있다. 하지만 주차선이 없다면 주차요원이라도 주차를 잘했는지 못했는지 판단하기 어렵다. 횡단보도 앞 정지선도 마찬가지다.

둘째, 정보 공유를 통해 많은 사람의 관심을 유발한다. 부서나 업무는 틀리더라도 중요한 정보들을 같이 공유함으로써 관심을 갖게 하고 개선에 대한 참여를 높일 수 있다. 야구장에서 경기가 한창 진행 중일 때 갑자기 전광판이 고장 난다면 관람하는 관중이나 경기하는 선수나 상당히 혼란스러울 것이다. 경기를 계속 지켜본 사람은 어느 정도 현재 상황을 알겠지만 중간에 온 사람이나 야구 규칙을 잘 모르는 사람은 우리 팀이 이기고 있는지, 지금 몇 아웃인지 판단하기 어렵다. 전광판이 있기에 관중은 경기를 재밌게 즐길 수 있고 선수들은 경기에 집중할 수 있다.

전광판에 경기 현황이 보이는 것도 중요하지만 얼마나 신속하게 정보를 제공하느냐가 더 중요하다. 홈런을 치고 역전을 시켰는데 점수가 한참 뒤에 올라간다면 경기를 잘 아는 사람들은 전광판을 신뢰하지 못해 외면하게 되고, 잘 모르는 사람들은 경기에 대한 잘못된 정보를 얻게 될 것이다. 전광판은 신속하게 경기 정보를 보여주어야 한다. 항상 생중계해야 한다. 눈으로 보는 관리는 이런 '생중계'다.

VM의 적용 대상은 크게 다섯 가지로 구분한다. 생산현장에서 눈으로 보는 관리가 중요하거나 효과가 큰 대상을 말한다. VM 적용 대상은 '생산정보, 작업방법, 설비관리, 현품관리, 환경안전'이다.

첫째, '생산정보 VM'은 생산량, 품질현황과 같은 생산 현장의 주요 정보를 말한다. 계획 생산량 대비 실적 생산량이 정상 속도로 나오는지 지연되고 있는지가 바로 보이지 않는다면 '생산정보'에 대한 VM이 부족해서다. MES와 연동된 전광판으로 보여주거나 현황판에 실적 정보를 직접 타점관리하기도 한다. 세부 대상은 KPI,

Q-Chart, 문제 개선 현황 등이 있다.

둘째, '작업방법 VM'은 작업표준에 따라 정상적으로 작업하고 있는가를 점검하고 준수를 유도하는 활동이다. 현장에 작업표준이 보기 불편한 장소에 게시되어 있거나, 게시되어 있더라도 가독성이 떨어져 내용이 잘 보이지 않는다면 '작업방법'에 대한 VM이 부족해서다. 세부 대상은 작업표준, 설비표준, 검사표준, OPL(One Point Lesson), 품질급소, 다기능현황판, CTQ·CTP 명판, 초중종물 검사 등 일일이 열거할 수 없을 정도로 다양하다.

셋째, '설비관리 VM'은 설비트러블을 예방하고 능력을 충분히 발휘시키기 위한 관리활동이다. 설비가 정상 가동 상태인지, 대기 상태인지, 고장 상태인지 등이 바로 보이지 않는다면 '설비관리'에 대한 VM이 부족해서다. 설비 운전 상태는 신호등 색상으로 구분한다. 지시계(指示計, indicator)의 색상과 라벨, 배관·배선 식별, 급유 관리 등이 해당한다.

넷째, '현품관리 VM'은 자재, 재공, 재고, 치공구 등 현품의 과부족, 양품·불량 여부, 관리 상태를 확인하는 활동이다. 현장에 있는 대차에 어떤 물건인지 아무 표시가 없다면 '현품관리'에 대한 VM이 부족해서다. 품명, 품번, 수량, 최대·최소, 보관 위치, 어느 공정까지 마쳤고 다음 공정은 어디인지 공정진행 상황 등이 보여야 한다. 현품관리는 식별표, 공정이동카드 또는 현품표를 활용한다.

마지막 다섯째, '환경안전 VM'은 작업장과 작업환경, 안전 확보를 위한 식별표시나 구역표시 등의 관리활동이다. 위험물을 취급하는 구역 또는 안전이 취약한 장소에 안전망이나 경고표시가 없다면

'환경안전'에 대한 VM이 부족해서다. 안전 수칙(지침) 및 경고, 위험지역 표시, 법적관리 사항, 환경안전 게시물 등이 해당한다. 작업자가 규정된 복장과 안전 보호구를 착용하도록 하는 것은 현장관리자의 책임이다. 현장 곳곳에 규정 복장에 대한 안내판을 부착해 잘 준수토록 해야 한다.

생산현장의 VM 적용 대상(생산정보, 작업방법, 설비관리, 현품관리, 환경안전)은 대상물에 적합한 최적의 방법으로 눈에 잘 보이게 해야 한다. 어떻게 설계하면 눈에 잘 보일까?

눈으로 보는 관리 도구를 설계할 때 주의사항이 있다. 필요 이상으로 표시하지 않도록 하고 멀리서도 쉽게 보여야 한다. 표시해야 할 종류가 많을 경우 위치, 밝기, 색깔 등 현저히 다른 표시 방법을 사용한다. 지시등, 표시등의 밝기는 주위의 밝기보다 배 이상으로 한다. 작업표준 등 문서화되는 것은 가능한 한 그림으로 표시한다. 작동 레버나 스위치 등의 손잡이는 가능한 한 작동시키고자 하는 실물의 모양을 본뜬다. 커버나 칸막이로 덮여 있어 안이 보이지 않는 부분은 커버를 벗겨 내거나 투명하게 만들어 안이 보이도록 한다. 가능한 한 시각화한다. 예를 들어 선풍기에 리본을 달아 송풍상태를 알 수 있도록 하는 것이다.

VM의 4대 방향에 대해 이해할 필요가 있다. 색상관리, 형상관리, 표시관리, 이상관리가 그것이다.

첫째는 '색상관리'다. 색상관리는 주요 KPI에 대한 목표달성 여부, GAS 배관 색상, 게이지 상하한 색상, 안전설비 색상 등 색상을 활용한 VM 도구를 의미한다. 주변에서 흔하게 볼 수 있다. 부적합품 보관 구역은 빨간색 테이프로 구획선을 긋고 빨간색 박스를 쓴다. 소화기에 붙어 있는 압력계는 녹색 범위에 게이지가 있으면 정상이다. 녹색 범위를 벗어나면 과압 또는 압력 부족으로 사용 불가다. 안전을 위한 주의 표시는 노란색과 검은색의 빗금으로 표현된 타이거마크(tiger mark, 안전반사테이프)를 주로 사용한다.

2012년 광주광역시에 있는 삼성전자 생활가전 1차 협력사를 지도할 때였다. 세탁기, 냉장고, 에어컨, 청소기 등 만드는 제품이 다양했다. 완제품 창고에 구역별로 보관했는데 위치가 눈에 잘 안 들어왔다. 그래서 고안한 아이디어가 제품 종류별로 식별 명판 색깔을 달리 적용했다. 세탁기는 주황색, 냉장고는 초록색, 에어컨은 파란색으로 명판을 만들었다. 색상을 이용하면 한 눈에 들어와 눈으로 보는 관리가 쉬워진다.

● 소화기의 압력게이지. 눈으로 보는 '색상관리' 방법

둘째는 '형상관리'다. 형상관리는 작업 기호, 작업요령서의 작업 포인트 도식 및 치공구의 정위치, 정돈을 유도하기 위해 형상이나 모양을 활용한 VM 도구를 의미한다. 사무용품 보관 트레이(tray), 치공구 보관함 등 담고 있는 물건의 형상을 그대로 본떠 쉽게 제자리에 놓을 수 있도록 하는 방법이다. 물건을 사용한 후 어디에 놓아야 하는지 직관적으로 알 수 있다. 어떤 물건이 없는지 파악할 때도 용이하다.

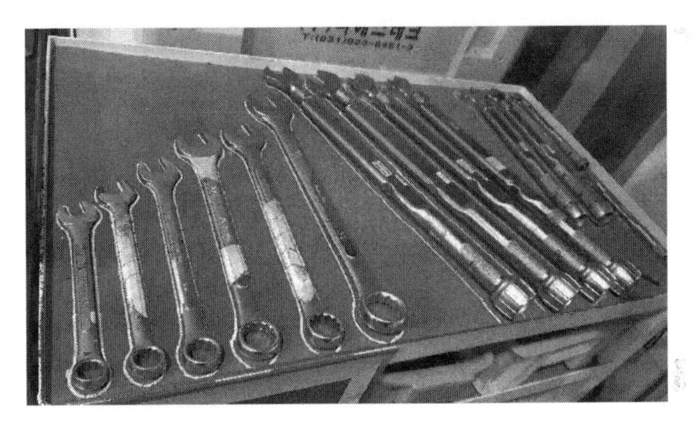

● 공구 보관대. 눈으로 보는 '형상관리' 방법

셋째는 '표시관리'다. 시각화하는 방법은 표지나 표시를 활용하면 된다. 표지와 표시의 차이를 아는가? '표지(標識)'는 어떤 사실을 알리거나 어떤 사물을 다른 것과 구별하기 위해 눈에 잘 뜨이도록 해놓은 표시다. 예를 들어 '교통표지판' '안전표지판'이 있다. '표시(表示)'는 상대에게 자기의 생각이나 감정 등을 말이나 글, 또는 행동으로 나타내는 것이다. '의사 표시' '불만 표시'처럼 말이다. 표시관리는 바닥선 긋기, 안전통로, 정위치 표시, 회전반경 표시, 벨트구동 방향 표시 등 각종 표시선과 구획선을 활용한 VM 도구를 의미한다.

● 도로 표지판. 눈으로 보는 '표시관리' 방법

마지막 넷째는 '이상관리'다. 이상관리는 표준작업 수행 여부, 계획대비 실적 확인, 제품 불량 여부 확인 등을 위해 현황판, 안돈, 불량품 전시대 등의 정보를 활용한 VM 도구를 의미한다. 공항이나 기차역에 도착하면 제일 먼저 보는 것이 전광판이다. 내가 예약한 비행기나 열차가 몇 번 게이트인지 확인하고, 정시 출발인지 문제가 있어서 지연(delay)인지가 바로 보인다.

이상관리의 대표적인 예는 각종 현황판이다. 단지 데이터만 디스플레이 되는 현황판이 아닌, 현재 상황이 이상인지 정상인지가 어떤 방식으로든 표현돼야 한다. 생산진도현황판은 현재 속도가 정상인지 이상인지 보여야 한다. 자재 하차구역에는 납입 OTD(On Time

Delivery, 정시납입률) 현황판을 설치해 자재가 정시에 들어왔는지(정상), 지연되고 있는지(이상)가 보여야 한다. 완제품 상차 구역에는 출하현황판을 설치해 정시에 출하됐는지(정상), 지연되고 있는지(이상)가 보여야 한다. 물품을 보관하는 창고에는 재고현황판을 설치해 현 보유량이 재고기준 범위 안인지(정상), 부족하거나 과잉인지(이상) 보여야 한다.

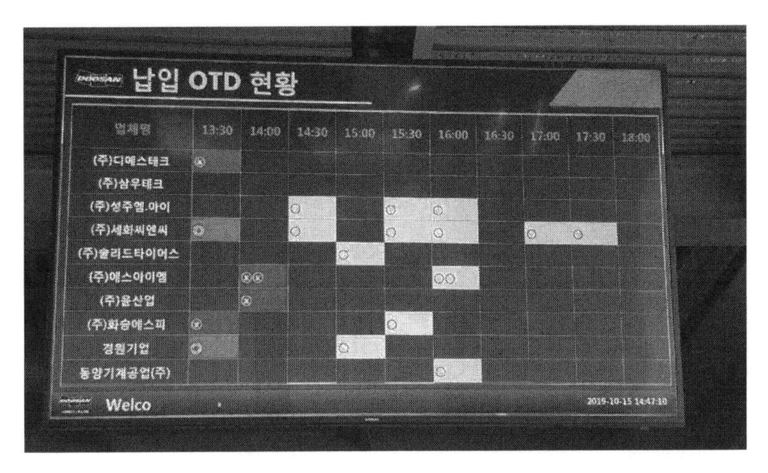

● 납입 OTD 현황판. 눈으로 보는 '이상관리' 방법 (출처: 두산산업차량)

이상관리의 활용범위는 무궁무진하다. 현장은 물론 사무업무에도 적용 가능하다. 한두 사람이 하는 일은 차지하고라도 여러 사람, 여러 부서가 연관된 일(또는 과제)은 그 일이 어떻게 진행되고 있는지 보여야 한다. 완료되었으면 초록(green), 진행 중이면 노랑(yellow), 지연되고 있으면 빨강(red)으로 표시한다. 이를 신호등 관리, GYR 관리라 부른다. 노랑은 주의를 기울이라는 의미이고 필요하면 만회계획을 세워야 한다. 빨강은 현 상황이 매우 나쁘다는 의미이고 비상계획을 세워야 한다.

지금까지 5개의 VM 적용 대상과 4개의 VM 방향에 대해 자세히 알아보았다. 사진으로 설명하면 효과적인 내용을 글로 설명하려니 한계가 있다. VM 대상은 무한하며 VM 기법도 정답이 없다. 색상, 형상, 표시, 이상관리 중에 "어떤 방법이 가장 눈으로 보기 쉬울까?"를 연구해야 한다. 하나 이상의 조합으로 아이디어를 내도 좋다. 현장에서 다 같이 머리를 맞대고 지혜를 짜내야 한다.

최근에는 빔(beam)을 이용한 바닥 표시가 늘어나고 있는 추세다. 식당가나 유흥가에 가보면 바닥에 빔을 쏘아 홍보하는 '빔 간판'을 심심찮게 볼 수 있다. 레이저를 쏘는 레이저 간판도 있다. 박람회, 전시회, 세미나 등 큰 행사에서는 활용한지 오래다. 산업현장이나 공장에도 널리 확대될 것으로 예상한다. 설치하기 쉽고 내용 변경도 쉽기 때문이다. 안전 취약 구역은 눈에 잘 띄어 특히나 효과가 크다. VM 기법이나 도구는 기술의 발전과 시대의 흐름에 맞게 계속 진화한다.

5장. BIQ,

공정에서 완벽하게 품질을 확보한다

품질에 대한 사유(思惟)

술 좋아하는 애주가라면 숙취해소 음료인 '여명808'을 한 번쯤은 마셔보았을 것이다. 이 음료 캔에는 나이 지긋한 중년 남자의 사진이 떡하니 박혀 있다. (주)그래미의 '남종현' 대표다. 숫자 '808'은 그가 '여명808'을 만들기 위해 실험했던 횟수다. 남회장은 말했다. "모든 것을 쏟아부었기 때문에 캔 디자인에 내 얼굴을 넣을 만큼 품질에 자신 있다."

남 회장의 집안은 대대로 술을 좋아하는데 유전적으로 간이 좋지 않았다. 술은 먹어야겠고 해독은 잘 안 되고, 그래서 숙취음료를 개발하고 싶었다. 807번의 실패를 거쳐 드디어 808번째 성공했다고 해서 제품 이름을 '여명808'로 붙였다. 자기 얼굴 걸고 제품 만든다는 게 어디 쉬운 일인가. 모름지기 품질은 사장(CEO)의 의지이며 종업원의 얼굴이다.

● 여명808. 품질은 회사의 얼굴

타이타닉호의 침몰은 품질교육에 있어서 단골 소재다. 타이타닉호의 별명은 '불침선'이었다. 당대 최고의 기술로 만들어서 '절대 침몰하지 않는 배'라는 의미다. 실제로 안전하게 만들려고 일반 배보다 훨씬 두꺼운 철판을 썼다. 그럼에도 불구하고 이 배는 1912년 영국에서 미국 뉴욕으로 가는 첫 항해에서 침몰했다. 2,200명의 승객 중 68%인 1,500명이 사망했다.

침몰 원인은 빙산이 많은 곳에서 여섯 번의 빙산 주의 경보가 있었음에도 방심했기 때문이다. 사고 난 지점은 빙산이 많아 일정속도 이하로 운행하라는 규정이 있음에도 무시했다. 실제 예정시간보다 늦게 출발하기도 했으며 이 배에는 정치, 경제계의 거물들이 많이 타서 목적지에 늦게 도착하면 부담이 되는 상황도 한몫했다. 무엇보다 불침선이라지 않았는가. 빙산은 사고 원인의 '빙산의 일각'일뿐, 방심을 떠나 자만이 역사에 남을 사고를 쳤다. 무엇보다도 사고(불량)는 발생 이후 조치보단 예방이 최우선이다.

제임스 카메론 감독의 영화 〈타이타닉〉(1998년)은 명작 중의 명작이다. 영화 보는 게 취미인 필자도 다섯 번을 넘게 봤다. 영화 장면들이 또렷이 기억난다. 타이타닉호가 빙산에 부딪혀 침몰이 시작되면서 승객들이 탈출하려 고군분투하는 장면이 압권이다. 유람선은 사고를 대비해 승객수의 일정 비율로 구명보트를 비치해야 한다는 법 규정이 있었음에도 타이타닉호는 지키지 않았다. 불침선인데 사고 안 날 거라 방심한 탓이다.

구명정에 옮겨 탈 때도 아수라장이다. 노약자나 어린이, 여성을 먼저 태워야 하는 게 상식이지만 실제로는 돈 많은 사람이 먼저 탄다. 영화에서도 여자주인공의 정략 약혼자가 뒷돈을 주고 구명정에 슬쩍 올라타는 장면이 나온다. 실제 생존자를 보면 일등석 승객들이 많았고, 사망자는 대부분 삼등석 승객들이었다. 긴급구조 절차와 방법의 부재, 법 규정 미준수가 대참사를 가져온 것이다. 결론적으로 타이타닉호의 침몰은 예방활동도 미흡했고 긴급대응활동도 부족했기에 발생한 '인재(人災)'다. 표준을 만드는 것도, 표준을 준수하는 것도 미흡했음을 보여준다.

● 타이타닉호의 침몰, 품질 사고의 대표적 교훈

과거 공급 부족 시대에는 사소한 품질 결함은 문제 되지 않았다. 그러나 지금은 세계적인 공급과잉에다 소비자가 황제인 시대다. 소비자를 기만하는 행위는 곧 해당 기업의 파멸을 의미한다. 21세기의 대표적인 품질 대참사가 몇 있다. '도요타 리콜 사태'와 '삼성 갤럭시 노트7 리콜 사태'가 그것이다.

도요타는 미국 내 출시된 일부 차량에서 가속페달 결함이 발생하자 2010년 1월 대규모 리콜을 진행했다. 이후 이 리콜은 유럽, 아시아 등 전 세계로 확산되며 도요타는 물론, 일본의 이미지마저 추락시켰다. 대규모 리콜사태의 주원인은 1990년도 중반에 들어서면서 공격적 투자를 위한 해외 생산거점을 무리하게 확대했기 때문이다. 또한, 과도한 원가 절감으로 뒷받침되지 못한 품질경영이 지목

되면서 글로벌 생산시스템의 문제점이 부각되기도 했다.

도요타는 1937년 설립 당시 품질관리와 비용절감을 중시하며 글로벌 기업으로 성장하다, 1995년 창업가 일족이 경영 일선에서 물러나면서 전문경영인 체제를 출범시켰다. 이들은 전통적인 도요타 방식에서 벗어나 새로운 성장과 도약의 발판을 마련하겠다며 공격적 투자로 생산능력을 극대화하는 데 치중했다. 하지만 천문학적 투자로 생산능력은 급속히 증가한 반면, 품질경영은 이를 따라잡지 못해 도요타는 2005년 미국에서 그해 자동차 판매량보다 많은 238만대의 리콜을 실시하는 굴욕을 겪기도 했다.

운전자 사망사고를 유발한 대규모 리콜 사태로 '도요다 아키오(豊田章男)' 사장은 미국 의회 청문회에 참석해 눈물을 흘리며 사죄했다. 자동차 분야에서 1등(당시 GM이 1등이었다.)이 되기 위해 기본을 망각하고 판매 대수에만 열을 올렸다는 반성과 함께, '다시 기본으로 돌아가자(Back to the Basic)!'는 슬로건으로 도요타를 다시 부활시켰다. 리콜사태 이후 명성 회복에 꼬박 4년이 걸렸다.

2016년 8월, 삼성 갤럭시 노트7은 출시된 지 얼마 되지 않아 전 세계 곳곳에서 배터리 폭발 사고가 발생했다. 이 사고를 수습하기 위해 미국 연방항공청(FAA)이 전 세계의 항공기 기내에서 삼성 갤럭시 노트7 사용 금지령을 내렸다. 삼성전자는 삼성 갤럭시 노트7 판매를 공식적으로 중단하고 임시 대여폰 지급 서비스를 실시했다. 또한 삼성 갤럭시 노트7을 이용하다 폭발 사고 화상 피해를 입은 고객에 대해 삼성 이전 제품이나 타사 신·구제품으로 리콜 혜택을 주었다. 결국 삼성은 리콜이라는 손해를 보면서 교환폰을 지급했지만 그마저도 화재가 발생하면서 결국 그해 10월에 삼성 갤럭시 노트7을 단종했다.

리콜로 인해 브랜드 가치 하락과 수십억 달러의 손해를 입었다. 요즘 소비자들은 무서울 정도로 영리하고 현명하다. 제품 문제는 언제든 생길 수 있으나 그 문제에 대응하는 기업의 태도도 매우 중요하게 생각한다. 도요타나 삼성전자가 계속 문제를 은닉하고 미온적으로 대응했다면 원상회복이 더 오래 결렸을 것이다. 브랜드에 대한 인지도는 서서히 증가하지만 떨어지는 건 한순간이기 때문이다.

우리 기업에게는 품질 사고로 천문학적인 비용을 감내할 수 있는 여력이 얼마나 될까? 도요타, 삼성전자나 되니 그 정도 버텨냈지 일반 기업이었다면 바로 회사 문을 닫았을지도 모른다. 나쁜 품질로 인한 비용은 감당할 수 없는 눈덩이가 되어 다시 우리에게 돌아온다. '1:10:100의 법칙'이 있다. 공정에서 자주검사를 하는데 드는 비용이 '1'이라면, 출하검사를 하는데 드는 비용은 '10', 고객에게서 불량이 났을 때는 '100'의 비용이 든다는 말이다. 품질문제는 뒤로 갈수록 커진다.

요구된 품질을 실현하기 위한 원가, 즉 품질 수준을 맞추기 위해 소요된 비용을 '품질비용(quality cost)'이라 한다. 품질비용은 예방비용(prevention cost), 평가비용(appraisal cost), 실패비용(failure cost)으로 구분한다. 실패비용은 다시 내부실패비용과 외부실패비용으로 나뉜다. 보통 기업에 있어서 품질실패비용은 전체 매출액의 평균 2~4%를 차지한다. 우리나라 제조기업의 매출액 대비 경상이익

률의 평균이 5% 미만이라는 점을 감안하면 실패비용만 줄여도 경상이익을 현재의 두 배 정도 높이는 효과를 본다. 불량은 우리의 돈을 훔쳐가는 도둑이다.

품질은 단 1개의 실수, 오류, 불량도 용납하지 않는다. 품질 방정식은 '100(생산 수량)-1(불량 수량)=99'가 아닌 '100-1=0'이다. 자동차 산업은 요구 품질 수준이 까다롭기로 유명하다. 중대한 품질 사고가 사람의 생명과 직결되기 때문이다. 자동차 업종은 초기에는 퍼센티지(%, 백 분의 일)로 관리했지만, 수준을 높여 피피엠(PPM) 단위로 까다롭게 관리했다. PPM은 'Part Per Million' 앞글자를 따서 만든 단위로 '백만 분의 일'이란 뜻이다. 최근에는 PPM 단위가 아닌 '건수'로 관리한다. 소비자 입장에서 보면 그 자동차 회사의 품질 수준이 아무리 높다 하더라도 내 차가 고장이면 아무런 의미 없다. 예를 들어 신차 품질이 1PPM(백만 대 중에 한 대 불량) 수준이라고 하더라도 그 한 대가 바로 내가 구입한 차라면 엄청난 불만이 쌓일 수밖에 없는 것이다.

여기서 잠시 도요타의 품질 목표를 벤치마킹해보자. 예전부터 일본차(특히, 도요타 자동차)는 잔 고장 없고 내구성이 좋은 차로 인식되어 왔다. 자동차 품질은 'JD 파워(JD Power and Associates)'라는 조사기관의 신뢰도가 매우 높다. JD 파워는 미국의 글로벌 마케팅 정보회사로 1968년에 설립되었다. 특히 자동차 분야의 소비자 만족 조사로 잘 알려져 있다. 해당 자동차를 실제 구입한 사람들을 대상으로 '내구품질조사(VDS, Vehicle Dependability Study, 구매한 지 3년이 지난 소비자를 대상으로 한 조사)'와 '신차품질조사(IQS, Initial Quality Study, 구매한 지 90일이 지난 소비자를 대상으로 한 조사)' 등 소비자 경험을 토대로 한 조사를 발표한다. JD 파워의 발표결과에 주가나 판매량이 널뛰기도 한다. 미국 소비자들이 JD 파워 평가를 신차 구매 기준으로 참고한다는 의미다. JD 파워의 자동차 품질조사에서 도요타는 항상 최상위에 랭크되어 왔다.

《도요타의 품질》(오자와 케이스케 저)에서는 도요타의 품질목표를 네 가지로 소개하고 있다. "공정 내 불량 100ppm 이하, 후공정 불량 10ppm 이하, 납입 불량 10ppm 이하, 조립 라인 직행률 99.7% 이상, (추가)시장클레임, 중요 품질 불량 0건"이 그것이다. 마지막 추가 지표에서 알 수 있듯이 '%'나 'PPM'이 아닌 '0건'이 주목할 만하다. 앞서 말한 품질 방정식이 그대로 적용되어 있다.

2019년 미국 신차품질조사 결과에서는 제네시스와 현대·기아자동차가 종합순위에서 1~3위를 싹쓸이했다. 2년 연속이었다. 당시 신문기사를 소개한다.

『현대자동차그룹의 프리미엄 브랜드 제네시스가 미국 신차품질조사에서 2년 연속 전체 1위를 차지했다. 기아자동차와 현대자동차는 각각 2위와 3위에 올라 현대차그룹의 3개 브랜드가 1~3위를 싹쓸이했다. 오랜 기간 품질경영에 공을 들여온 결과라는 평가가 나온다. 이에 따라 현대차그룹 브랜드 이미지도 높아져 미국 내 판매 증가로 이어질지 관심이 모아진다. (이하 생략)』 (출처: 《매일경제》, 2019/6/20)

일본과 독일 등 경쟁 업체를 큰 점수 차로 제쳤다는 점에도 의미가 있다. 국산 차의 품질 수준이 이미 선진국 자동차 회사를 뛰어넘어 최고 수준에 올랐다고 볼 수 있다. 자동차 후발주자로 시작했지만 부단한 노력으로 일구어낸 자랑스러운 결과다. 현대기아차의 품질목표도 앞서 말한 품질 방정식 개념이 적용되어 있다.

엄격함과 절실함을 갖춰라

불량은 만들지 않는 것이 최선이지만 제품이라는 것이 사람(man), 설비(machine), 재료(material), 방법(method)과 같은 여러 가지 요소(이를 4M이라 한다.)가 결합되어 만들어지기에 불량이 발생할 수도 있다. 완벽한 공장, 완벽한 시스템은 없기 때문이다.

불량이 발생해도 발견할 수 있으면 최소한 후공정이나 고객으로 유출을 방지할 수 있다. 후공정이나 고객으로 유출을 방지하기 위해서는 완벽한 품질검사(Q-Gate) 체계를 갖추어야 한다. 불량이 다음 공정으로 넘어가면 가장 낮은 수준이다. 그다음 수준은 후공정으로 불량유출을 막는 상황이며, 가장 최선은 자기 공정에서 품질을 보증할 수 있어야 한다. 불량을 만들지도, 행여나 만들었다 하더라도 절대 후공정으로 보내지 않는 수준을 갖추어야 한다. '자기 공정에서 품질을 사수한다!'는 사상이 '자공정 품질보증(BIQ, Built-In

Quality)' 사상이다.

불량에 대해서는 타협하지 말아야 한다. 불량이 발생해도 그냥 지나치면 가장 낮은 수준이다. 후공정이나 고객에게 자연스럽게 불량이 흘러 들어간다. 다음 수준은 불량품을 구분하기만 하는 상황이다. 양품과 불량품을 선별해 불량품은 버리거나 재작업해서 다시 양품화한다. 왜 불량이 났는지는 큰 관심사가 아니며 동일한 불량이 조만간 재발한다. 재발 방지 조치를 했다고는 하지만 근본 원인에 대한 대책이 부실하기 때문이다. 가장 최선은 불량이 발생하면 현장에서 바로 판정하고 무조건 작업을 세워야 한다. 불량원인이 찾아지고 제거될 때까지 작업을 멈추는 방식이다. 하나의 불량도 용납하지 않겠다는 의지가 필요하며, 불량에 대해서는 절대 타협하지 않겠다는 의지를 현장에 시스템으로 구현해 놓아야 한다.

불량은 '아차!' 하는 순간 빠져나간다. 불량을 잡아내는 확률은 얼마나 될까? 만약 불량을 잡아낼 확률이 자주검사에서 90%, 공정검사에서 90%, 출하검사에서 90%라면, 이 공장의 종합 검출율은 얼마일까? 잠시 계산해보기 바란다. 정답은 73%다. 세 군데 Q-Gate 검출력이 모두 90%이니, 평균적으로 90%겠지 생각하면 큰 오산이다. 검출력은 각 Q-Gate 검출율의 곱으로 계산한다. '90% × 90% × 90% = 72.9%'이다. 100개 만들면 27개는 불량으로 후공정이나 고객에게 흘러나간다는 의미다. 각 Gate에서 100% 양품을 보증할 수 없으면 불량이 부지불식간에 유출될 수밖에 없다.

검사를 했다고 하는데 불량이 났다면 어떤 상황일까? '파렴치 불량'이라고 들어 보았는가? 작업자는 물건 만들고 후공정으로 보내기 전에 자주검사가 기본이다. 검사를 했다고 하나 후공정 또는 고객에게서 불량이 발견되는 경우, 성적서를 가짜(검사하지도 않고 했다고 기록하는 행위)로 작성하는 경우, 우리는 파렴치 불량이라 부른다. 자동차업종에서 먼저 사용했지만 지금은 다양한 업종에서 흔히 쓰이고 있다. 국어사전에 '파렴치한'을 검색하면 '체면이나 부끄러움을 모르는 뻔뻔스러운 사람.'이라고 나온다. 검사를 제대로 하지도 않고 본인 할 일은 다했다고 하는 격이다. 파렴치 불량은 무엇보다도 품질에 대한 엄격함, 절실함이 부족해서 발생한다. 품질은 목에 칼이 들어와도 맞추어야 하는 대상이지, '적당히'라는 타협의 대상이 아니다.

품질은 '엄격함'과 목숨을 걸 정도로 치밀하게 관리해야 한다. 품질관리의 출발점은 고대 BC 1700년경 바빌로니아의 함무라비왕 때로 거슬러 올라간다. 당시에 많은 건축업자가 돈에 눈이 멀어 집을 부실하게 지었다. 그 결과로 집이 무너져서 깔려 죽는 사람들이 속출했다. 집이 무너져도 건축업자는 별다른 처벌을 받지 않는 것이 문제였다. 사태를 해결하기 위해 함무라비왕은 엄격한 법을 적용했다. 내용은 이렇다.

· 집이 무너져서 집주인이 죽은 경우는 그 건축업자 '사형'
· 그 집주인의 아들이 죽은 경우는 건축업자의 아들 '사형'
· 그 집주인의 하인이 죽은 경우는 건축업자의 하인을 그 집주인에게 '예속'

이렇게 법을 엄격하게 적용하자 건축업자들은 집을 제대로 짓게 되었고, 집이 무너져 죽는 사람이 더 이상 발생하지 않았다.

공장에서 물건 하나 잘못 만들었다고, 불량 하나 만들었다고 작업자를 처벌해야 한다는 의미가 아니다. 발생한 불량에 대해서는 엄격함을 적용해 그 원인을 찾고 제거될 때까지 작업을 할 수 없도록 프로세스를 만들어야 한다. 근본 원인이 규명되지 않은 대책서는 될 때까지 반려하고, 작업 개시(Stop Sign 해제) 승인 절차를 까다롭게 적용해 "불량 한번 내서 진(津)이 다 빠진다."라고 할 정도로 곡소리가 나야 한다. 그래야 다음에 불량 안 낸다. 뒷감당이 무섭고 수습하기 귀찮아서라도 물건 제대로 만든다. 우리 공장은 품질에 얼마나 엄격한가?

품질에서의 엄격함이 현장에 어떻게 적용되는지 사례를 하나 소개한다. 글로벌 기업 보쉬(BOSCH)는 오래전부터 전 세계 공장에 BPS(Bosch Production System)를 운영해 오고 있다. BPS를 구성하고 있는 여러 모듈 중에 '정지 신호 프로세스'가 있다. 이 모듈의 핵심 내용을 요약하면 다음과 같다.

· 고객 불만이 발생하면 불량이 공지된 후 24시간 이내, 해당 귀책 공정에 '정지 신호(Stop Sign)' 시트를 게시한다.
· 불량이 공지된 후 24시간 이내에 불량에 대한 정확한 내용과 Containment(억제) 대책이 관련자에게 전달 교육돼야 한다.
· 불량이 공지된 후 72시간 이내에 8D 프로세스가 포함된 '정지 신호 보드'를 해당 공정 근처에 설치한다.

· 정지 신호 보드를 이용하여 현장에서 개선 미팅이 이루어져야 하며, 보드에 모든 8D 내용이 포함돼야 한다.
· 정지 신호 종결회의에서 표준류 검토를 생산부서장, 품질부서장과 함께 실시하고 개정 변경 내용을 관련자에게 공지한다.
· 정지 신호 프로세스의 종결은 개선활동의 유효성이 검증된 후 생산부서장에 의해 결정한다. (이후 정지 신호 시트 및 보드 제거 가능)
(출처: BPS, 보쉬생산시스템)

중대 불량이 발생하면 라인을 정지시키고 철저한 근본 원인 규명을 통한 재발 방지 대책이 실행될 때까지 라인 정지를 해제시키지 않는다. 프로세스에 엄격함이 적용되어 불량이 다시 발생하지 않도록 하는 구조를 갖춘 것이다.

품질에 있어서 엄격함과 함께 또 하나의 키워드가 바로 '절실함'이다. 절실함이란 내가 불량을 만들면 우리 회사, 우리 동료들에게 큰 피해를 줄 수 있기에 철저히 조심하는 마음이다. 불량을 만드는 것, 불량을 내보내는 것, 모두 조직을 죽이는 '범죄행위'다. 사소한 불량이 제품 이미지 망치고, 고객이 떠나가면 회사 매출이 쪼그라들고, 회사가 어려워지면 직원들 집에 가야하고, 딸린 식구들도 손가락 빨아야 한다. 그래서 범죄행위라 하는 것이다. 너무 비약(飛躍)인가? 나만 피해를 보면 그만이지만 나쁜 품질은 우리 모두에게 피해를 주기 때문이다.

"낚싯줄이 국립경주박물관 유물들을 지켜냈다." 2016년 11월 2일자 한겨레신문에 실린 기사 제목이다. 경주 지진 두 달여 전(2016년 7월 5일)에 울산 앞바다에서 규모 5.0 대지진이 일어났고 얼마 지나지 않은 때다. 울산 대지진으로 국립경주박물관 직원들은 고민에 빠졌다. 대지진이 난 울산은 경주에서 한 시간 거리도 안 되는 지척(약 48km)에 있다. 경주라고 울산처럼 큰 지진이 일어나지 말라는 법이 있는가. 만약 지진이 난다면 박물관에 있는 천년고도 신라의 유물이 외부 충격으로 모조리 훼손될 건 뻔했다. 유물이 피해를 보면 유물이 사라질 것이고, 유물이 없으면 박물관이 폐관될 것이고, 폐관되면 직원들은 존재의 이유가 없게 된다. 오만가지 생각에 직원들은 혼란이 왔을 테다. 넋 놓고 있을 수는 없었다. 절실해진 직원들은 아이디어를 냈다.

밤잠 줄여가며 한 달여간의 기간 동안 유물 500점을 모두 낚싯줄로 꽁꽁 묶어 고정했다. 단지 운이었을까? 실제로 9월 12일 규모 5.8의 강진이 경주를 뒤흔들었다. 박물관의 유물들은 기적이라고 할 만큼 단 한 점의 유물도 훼손되지 않았다. 박물관 직원들의 절실함이 낳은 결과이다. 때때로 절실함은 품질에서 기본 룰(rule)을 준수하는 것 이상으로 선한 영향력을 일으킨다. 우리 공장 직원들은 품질에 얼마나 절실한가?

● 국립경주박물관 직원들이 유물들을 줄로 고정하는 작업을 하고 있다.

절실함에 대한 '말 그대로' 절절한 사례가 하나 더 있다. 바로 여자 양궁 대표팀 이야기다. 2016년 리우올림픽에서 온 국민의 바람대로 대한민국의 여자 양궁 대표팀이 여자단체 결승에 올라갔다. 그러나 세 명의 베테랑 궁사들은 엄청난 부담을 안고 경기에 나서야 했다. 우리나라는 여자단체 양궁 단체전에서 2012년 런던 올림픽까지 줄곧 7연패를 하고 있었다. 4년마다 열리는 올림픽이기에 무려 28년간 우승을 유지했다는 의미다. "만약 내가 한 발을 실수한다면 그간 선배들이 힘들게 쌓아온 공든 탑이 나 때문에 무너지는 것이다." 실수만 안 하면 8연패를 할 수 있다는 생각이 그 무엇보다도 절실했으리라.

경기 후 뉴스에서 대표팀의 '리마인드 카드(remind card)'가 소개되었다. "해봤으니 편안하게." "차분히 왼팔 끝까지." 여자 양궁 대표팀 선수들이 항상 지니고 다니는 리마인드 카드의 내용이다. 경기 전에 몸에 지닌 카드에 적힌 문구를 떠올리며 실수를 최소화하고자 했다. 밥 먹고 활만 쏘는 세계 최고의 선수에게도 실수는 치명적이기에 그 절실함을 리마인드 카드에 담아 항상 지니고 다녔다.

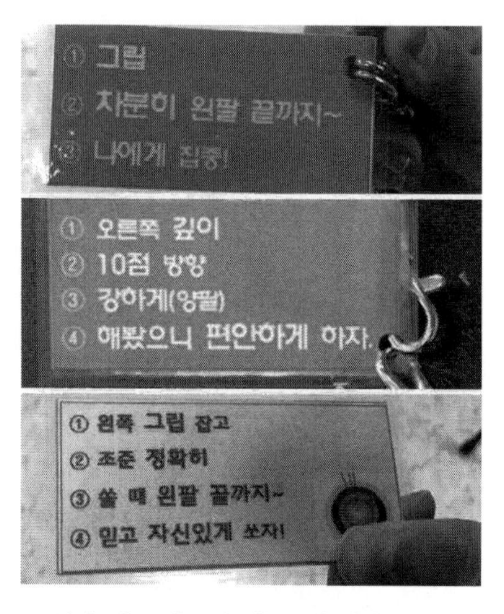

● 여자 양궁 대표팀 선수들의 리마인드 카드

실제 기업을 지도하면서 리마인드 카드를 가지고 다니는 직원을 본적이 딱 한 번 있었다. 예쁘게 코팅한 건 아니었고 손때가 더덕더덕 묻어 있는 쪽지를 주머니에서 꺼내 보여주었던 것으로 기억한다. 제관품을 만드는 중년의 용접 작업자였는데, "도면 확인 또 확인, 용접 비드(bead) 일정하게……." 등의 내용이었다. 실제로 그 작업자는 불량이 하나도 없었다. 불량을 만들지 않겠다는 절실함이 스스로 그 카드를 만들게 했을 것이다. 절실하면 통한다.

현장에서는 작업자 스스로 리마인드 카드를 활용하지 않는 한 강제할 수는 없다. 대신 수동적이지만 현장관리자가 도와줄 수 있다. 작업자의 단순 실수나 착각으로 사내 공정 또는 고객라인이나 필드에서 불량이 난 경우다. 예를 들면 하네스(harness) 케이블 조립할 때 파란색은 A 부위에, 빨간색은 B 부위에 조립해야 정상인데, 작업자 실수(휴먼에러)로 바꿔서 조립하는 경우가 있다. 이런 상황에는 '품질급소' 또는 'One Point'라는 이름으로 정상과 이상 사진을 넣어 보기 쉽게 명판(게시물) 형태로 만들어주면 된다. 명판은 작업자 눈높이에 맞춰서 고개만 돌려도 바로 눈에 들어오는 위치가 가장 좋다. 불량은 절실함을 이길 수 없다.

표준을 중시하라

둘째 아이가 초등학교 3학년 때 일이다. 아이와 외출을 했다가 출출한 참에 간식으로 삼각김밥을 먹게 됐다. 아이가 먹고 싶다고 해서 2개를 샀지만 필자는 삼각김밥을 그다지 좋아하지 않는다. 맛도 별로이고, 포장을 벗길 때마다 애먹었던 기억이 있어서다. 아니나 다를까 아이는 벌써 까서 먹고 있는데 필자는 여전히 헤매고 있다. 손 가는 대로 막 까다가 밥을 감싸고 있던 김이 찢어지고 비닐 포장지에 김만 따로 남았다. 말 그대로 밥 따로 김 따로 먹었다. 그러니 맛이 없다. 한 번도 성공한 적이 없다. 이놈의 꽝 손! 집사람은 시시때때로 필자를 '마이너스의 손'이라 놀린다. 뭐든지 손만 대면 망가진단다.

맛나게 삼각김밥을 먹고 있는 아이에게 물었다. "우리 딸은 어떻게 그렇게 삼각김밥을 잘 까지? 아빠는 잘 안 되는데……." 그러자 아이가 퉁명스럽게 한마디 한다. "이거 쉬운데. 포장지에 적혀 있는 대로만 하면 돼!" 아뿔싸! 포장지에 벗기는 방법이 있는 걸 몰랐다. 아니, 몰랐다기보다는 "이까짓 거 그냥 벗기면 되지!" 하며 무시하고 볼 생각을 안 한 것이다. 업체에서 지도할 때는 늘상 "현장은 표준이 중요합니다. 표준을 항상 봐야 하고, 표준대로 해야 불량이 안 납니다."라고 잔소리처럼 말하던 필자였다. 딸아이 보기가 부끄러워 혼났다.

표준의 존재 이유, 즉 표준의 효용은 '표준대로만 하면 문제는 없을 것이다.'라고 할 수 있다. 표준대로만 하면 특별한 경우가 아니고선 불량은 나지 않는다는 말이다. 표준이 잘못 만들어졌거나, 표준을 제대로 이해하지 못했거나, 표준을 준수하지 않아서 불량이 만들어지는 것이다.

해외에서 맥도날드 햄버거를 먹어본 적이 있는가? 전 세계 맥도날드 햄버거 맛은 똑같다. 아니 똑같다는 말은 조금 과장됐고 '매우 비슷하다.' 또는 '편차가 거의 없다.'가 맞는 표현인 듯하다. 필자는 사회생활의 첫 비즈니스 출장을 대만으로 갔었다. 새로 거래하는 업체의 품질시스템을 평가하러 엔지니어 한명과 같이 나갔다. 그 출장에서 본의 아니게 고속도로 휴게소에서 햄버거를 먹게 되었고, 그 식당이 맥도날드였다. "어라! 먹을 만하네. 한국하고 비슷해!" 동료랑 나눈 대화였다. 다만 음료로 산 코카콜라는 좀 맛이 없었다. 모두가 알듯이 코카콜라 원액은 전 세계 똑같지만 나라마다 물맛이 조금씩 다르기 때문에 콜라 맛도 다르다고 한다. 그런데 맥도날드 햄버거 맛은 똑같았다. 어떻게 그럴 수 있을까?

미국의 맥도날드 햄버거가 전 세계적으로 인기가 있는 이유는 세계 어느 나라의 맥도날드 판매점에 가더라도 그 맛이 똑같이 때문이다. 햄버거 제조 방법이 정확하게 표준화되어 있고, 전 세계 편의점에서 이를 지키기 때문이다. 품질은 일정해야 하며 산포가 없어야 고객으로부터 신뢰를 받는다. 품질 산포를 최소화하기 위해서는 이상적인 제조조건을 설정하고 이를 표준화해야 한다. 무엇보다도 관련된 모든 사람이 이를 지켜가는 노력이 필요하다.

필자는 강의를 하면서 표준의 중요성을 이야기할 때 단골 재료가 있다. 그중 하나가 바로 라면이다. 라면 포장지 뒷면을 보면 라면 끓이는 방법이 그림과 함께 자세히 설명되어 있다.

① 끓는 물 550ml에 면과 스프를 넣고 4분간 더 끓여줍니다.
② 기호에 따라 김치, 계란, 마늘, 파 등을 넣어 드시면 더욱 맛이 좋습니다.

처럼 말이다.

우리는 보통 이런 매뉴얼을 보고 라면을 끓이지는 않는다. 그 이유는 간단하다. 한 번씩은 다 끓여 보았기 때문이다. 안 봐도 할 수 있다. 그럼에도 불구하고 포장지 뒷면에 있는 라면 끓이는 방법의 효용은 분명히 있다. 라면 처음 끓여보는 사람을 위해서다. '이 방법대로만 하면 제조사가 의도한 라면 맛을 볼 수 있다.'라는 의미다. '이 방법대로만 하면 라면 맛이 기똥찰 것이다.'는 의미가 아니다. '제시한 방법만 잘 따르면 불량(맛없는)은 안 날 것이다.'라는 의미다.

몇 년 전에 진행한 공개교육에서 기억에 남는 독특한 수강생이 있었다. 라면을 예로 들어 표준의 의미를 설명하면서 "여러분 중에 라면 봉지에 매뉴얼 보고 라면 끓이는 분 있습니까?(당연히 없을 것이라는 확신으로)"라고 물었다. 한 수강생이 손을 번쩍 들었다.

"저요." 순간 당황스러웠다. '이건 뭐지?' 당황한 기색을 숨기며,

"그러시군요. 왜죠?"라고 물었다.

"저도 예전에는 잘 안 보고 끓였는데요, 요즘은 신제품이 워낙 많아서 제 맛을 보려면 꼭 읽어보게 되더라고요."

이해가 갔다. 요즘은 경쟁도 과열됐거니와 소비자의 기호가 다양해져 신제품이 하루가 멀다고 나오는 상황이기 때문이다. "허허허, 젊은 분이 스마트하시네요." 하고 웃고 넘어갔다. 말 그대로 '우문현답(愚問賢答)'인 상황이었다.

현장도 마찬가지다. 기존 제품이 몇 년이고 그대로 간다면 그 기업은 망한다. 환경규제, 성능개선, 제조공법 개선이 적용되어 제품이 수시로 업그레이드된다. 이런 상황에서 기존의 방법, 기존의 표준대로만 고집한다면 당연히 제품은 불량이다. 연구개발(R&D)에서 설계변경이 떨어지면 해당 표준은 신속히 개정돼야 하고, 현장 작업자는 수시로 새로운 표준을 교육받고 준수해야 불량이 없을 것이다.

품질이란 최고로 좋게, 최고로 빠르게, 최고로 싸게, 최고로 많이 남게 하는 것이다. 하지만 좋다, 빠르다, 싸다는 의미는 고객에 따

라, 시대에 따라 늘 변한다. 따라서 품질은 고객과 긴밀하게 연결되어 있다. 이 말은 품질은 시대에 따라 변한다는 것이고, 현재 기준, 현재 표준이 베스트가 아니라는 의미다.

작업표준에는 기본적으로 투입되는 부품과 설비 및 치공구, 간략한 도해와 함께 상세한 설치 및 작업 순서를 기입한다. 더불어 작업조건, 품질특성항목, 품질확인 방법, 안전과 환경을 포함한 작업할 때 주의사항, 이상이 발생하면 어떠한 절차에 따라 보고하고 조치하는지도 명기한다.

작업표준은 추가로 OPL이 필요한 경우가 종종 있다. OPL은 'One Point Lesson'의 약어로 작업자의 노하우를 포함한 작업방법을 자세히 풀어서 쓴 일종의 보조 작업표준이라고 보면 된다. 작업표준은 지면상의 제약으로 자세한 내용을 담기에는 한계가 있다. OPL은 자세한 가공점(processing point)이나 작업점(working point)을 포함해 사진과 도해로 표현한다. 예를 들어 작업표준에 "볼트 8개로 A와 상대물 B를 체결해서 조립한다."는 작업 내용이 있다면 OPL에는 볼트를 체결하는 순서, 즉 "위, 아래, 좌, 우 하나씩 4개를 순서대로, 이후에 나머지 4개의 볼트를 체결한다."는 식으로 표현할 수 있다. 이 방법으로 작업하면 작업성과 체결성이 좋아진다는 것을 현장에서 체득했기 때문이다.

작업표준은 보통 생산기술부가 만들지만, OPL은 현장의 노하우를 담고 있기에 현장관리자가 만드는 것을 원칙으로 한다. 노하우는 계속 발굴되고 작업방법도 항상 개선되기에 OPL은 지속적으로 추가 작성하는 것이 바람직하다.

모든 표준은 현장에서 쉽게 볼 수 있어야 한다. 열악한 중소기업을 가보면 표준 없이 말로만 신입 작업자 가르치는 모습을 종종 볼 수 있다. 표준이 있고 표준을 교육받으면 말로만 배우는 것보다는 훨씬 더 빨리 숙련이 된다. 일하다 여차하면 표준을 찾아보면 되기 때문이다. 표준은 현장에 어떤 형태로든 비치되어야 한다. 깔끔하게 코팅해서 벽면이나 작업대에 게시할 수도 있고, 양이 많다면 바인더에 비닐을 넣어 훼손되지 않게 비치해둘 수도 있다. 중요한 고려사항은 작업자가 쉽고, 빠르고, 편하게 접근 가능토록 하는 것이다.

4차 산업혁명시대인 지금은 많은 공장이 스마트팩토리 구현을 위해 열심이다. MES를 운영하는 회사는 하드카피본 표준류를 대부분 없애고 대신 MES에 심어 놓는다. 작업자 주변에 있는 모니터나 키오스크 단말기에서 작업표준, 검사표준 또는 도면류를 소프트카피로 확인하는 것이다.

MES를 통해 작업지시를 내리고, 작업자가 해당 작업지시를 클릭하면 자동으로 관련 작업의 표준문서가 모니터에 뜬다. 곧이어 '작업표준을 확인하였습니까?'라는 메시지에서 'Yes'를 클릭해야만 상세 작업지시 내용이 확인 가능하도록 만들어 놓는다. 작업표준을 보지 않으면 작업 시작이 안 되도록 시스템적으로 막아두는 것이다. 일종의 풀 프루프 개념이 적용됐다고 볼 수 있다.

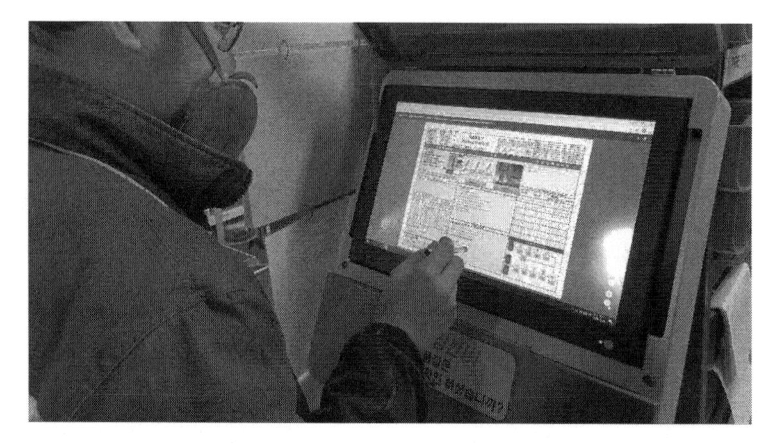

● 작업자가 MES 키오스크 단말기에서 표준을 확인하고 있다.

현장에는 품질에 중요한 관리 파라미터로 CTQ와 CTP가 있다. CTQ는 'Critical To Quality'의 약어로 '중요품질특성'이라 부른다. 공정에서 반드시 확인해야 할 사항으로 불량의 '검출'이 주목적이다. 작업자가 작업 후에 그 항목에 대한 불량이 있는지 반드시 확인 또는 검사해야 한다는 의미다. CTQ 항목은 고객라인과 필드에서 발생한 중요 불량이나, 불량이 발생하면 치명적인 결과를 가져오는 항목으로 선정한다. 불량으로 인해 주(main) 기능이 상실되거나 사람 안전에 위협이 되면 치명적이다.

CTP는 'Critical To Process'의 약어로 '중요공정특성'이라 부른다. 공정에서 반드시 준수해야 할 사항으로 불량의 '예방'이 주목적이다. 작업자가 작업 준비 또는 작업 중에 반드시 준수하지 않으면 불량이 난다는 의미다. CTP는 작업 중에 '어떻게 하면 불량이 나지 않을까?'라는 예방 차원에서 시작한다. 불량을 예방하기 위해서 사전에 공구나 툴 상태를 점검한다든지, 설정된 작업조건대로 작업하면 된다.

조립공정에서 CTQ와 CTP의 예를 들어보겠다. 주요 조립불량은 오(誤)조립이나 미(未)조임 등이 있다. 잘못 조립하거나 볼트를 덜 조여 완전하게 체결되지 않은 불량이다. 만약 자동차에 브레이크 페달이 덜 조여 조립되었다고 상상해 보라. 브레이크 페달이 차체에서 이탈하면 운전자 안전에 치명적인 위협이 된다. 이 상황에서는 조립 상태, 즉 '미조임'이 CTQ 항목이다. CTQ 항목이기에 작업자는 작업을 마치고 반드시 확인(또는 검사)해야 한다.

미조임과 연관된 CTP는 '토크(torque) 값'이다. 조립작업은 수작업이 많고 주로 전동 드라이버를 사용한다. 전동 드라이버의 토크값이 약하면 미조임이 발생할 여지가 많다. 만약 토크 값 기준이 '5±0.5Nm'인 경우 이보다 약하면 덜 조여지고, 이보다 강하면 조립물이 파손될 수 있다. 토크 값이 CTP 항목이다. CTP 항목이기에 작업자는 작업 전에 반드시 토크 값을 기준에 맞게 설정하고, 작업 중에 그 기준을 반드시 준수해야 불량이 발생하지 않는다.

용접공정에서 CTQ와 CTP는 어떻게 될까? 주요 용접불량은 언더컷(undercut), 크랙(crack) 등이 있다. 용접불량은 육안으로 잘 식별되지도 않을뿐더러 발생하면 용접물이 작은 힘에도 떨어져 나가 큰 사고로 이어질 수 있다. 이 경우 언더컷, 크랙은 CTQ 항목이다. CTQ 항목이기에 작업자는 작업을 마치고 반드시 확인(또는 검사)해야 한다.

용접불량과 관련된 CTP는 전류, 전압과 같은 용접조건이다. 전류와 전압 기준을 지키지 않으면 용접불량이 난다. 만약 전류 값이 '20A±2'인 경우, 이보다 높으면 언더컷이나 크랙이 발생한다. 전류, 전압이 CTP 항목이기에 작업자는 작업 전에 반드시 용접조건을 기준에 맞게 설정하고, 작업 중에 그 기준을 반드시 준수해야 불량이 발생하지 않는다. CTQ, CTP는 관리계획서(control plan)와 해당 작업표준에 구체적으로 명시되어야 하고, 명판 형태로 제작해 작업자가 항상 주의하도록 게시하는 것이 좋다.

BIQ의 사상

“결함은 받지도(accept), 만들지도(build), 보내지도(ship)도 말라.” 공장에 근무하는 직원이라면 한 번쯤은 들어보았을 것이다. 현수막으로 제작해 곳곳에 걸어놓은 공장도 많다.

글로벌 자동차업체 GM에서는 ‘Built-In Quality(이하 BIQ로 부른다)’를 ‘제조공정 품질’로 정의하고 다음과 같이 설명한다.

“품질에 대한 기대는 각 공정에서 결함이 다음 공정으로 유출되지 않게 확인함으로써 얻을 수 있다.”

BIQ를 굳이 우리말로 하자면 좁은 의미로 ‘자공정 품질보증’이며, 넓은 의미로 ‘완벽품질(perfect quality)’이라 할 수 있다. 예전에 지도한 모 대기업의 임원이 직원들이 올린 보고서에서 완벽품질이란 용어를 보고 이런 피드백을 주었다.

“품질에 있어서 완벽한 게 어디 있습니까? 그래서 완벽품질이란 말은 어울리지 않습니다."

나름 공감되는 말이었다. 그래서 BIQ는 완벽품질을 의미한다기보다는 '품질에서 완벽을 이루려는 사상이나 체계'쯤으로 표현하고 싶다.

BIQ는 결함을 고객에게 제공하지 않는다는 것을 보증하기 위함이다. 처음부터 제대로 하자는 것이다. BIQ를 위해서는 품질관리에서 한 발 나아가 품질이 조직의 시스템과 문화에 뿌리내리도록 해야 한다. '보다 좋은 품질의 제품을 보다 싸게 만든다.'는 기본 철학이 깔려 있다. 자신의 공정이 최종공정이며, 다음 공정(후공정)은 곧바로 고객이라는 생각으로 일한다.

시간을 거슬러 올라가면 BIQ의 사상은 도요타의 '인변 자동화(自働化)' 개념에서 출발했다. 세계에서 가장 자동차를 많이 파는 도요타의 시작은 작은 방직회사였다. 도요타의 창업주 도요다 기이치로의 아버지인 도요다 사키치는 1867년 조그만 시골 마을에서 태어났다. 가난한 목수 집안에서 제대로 된 교육을 받지는 못했지만 근대화를 바라보며 발명가의 꿈을 키웠다. 그는 어머니가 밤늦게까지 부업으로 베틀을 돌리는 것을 안타까워했다.

유년시절에 하루는 어머니가 천을 짜는 베틀로 직물(옷감) 만드는 장면을 보고 있었다. 어머니가 하던 일을 잠시 멈추고 만들어진 직물을 한참 동안 들여다보더니 갑자기 가위를 들고 직물의 일부분을 가위로 잘라내 버렸다. 이를 보고 있던 아이가 말했다.

"엄마! 그건 왜 아깝게 버려?"

“응. 이 부분은 실이 끊어져서 못 쓰게 된 거란다. 이 상태로 시장에 내다 팔면 사람들이 불량이라고 사지 않는단다.”

“그럼 실이 끊어졌을 때 알아차리고, 바로 실을 이어서 만들었으면 버릴 게 없어지는 거 아냐?”라고 아이는 말했다.

어려서부터 발명에 뛰어난 재능을 보인 도요다 사키치는 커서 자동직기를 발명하게 된다. 자동으로 실이 교체되고 한 올의 실만 끊겨도 저절로 작동이 중단된다. 그는 ‘도요타 자동직기 제작소’라는 회사를 세워 큰돈을 벌었다. 기이치로가 이 자금을 바탕으로 자동차 연구를 시작했다는 설이 있다. 믿거나 말거나다.

여기서 독자가 유념해야 할 사항은 ‘실이 끊어지면 스스로 멈춘다.’는 개념이다. 도요타에서는 이 개념을 ‘지도카(Jidoka, 自働化)’라 불렀다. 자동화는 단순한 기계화가 아니라 인간의 지능이 결합된 개념이다. 그래서 일반적인 자동화와 달리 동(動)자에 인(人)변이 붙어 있다. 이는 기계화의 결점을 드러내는 것을 의미하며 안돈을 통해서 실행된다.

일반 공장에서 종업원 개인이 라인을 정지시키는 것은 좀처럼 쉽지 않은 일이다. 그러나 이러다 보면 잘못이 묻히고 나중에는 걷잡을 수 없는 오류로 이어진다. 이 점에 착안해 도요타는 잘못을 최대한 드러내려고 한다. 드러난 잘못에 대해서는 라인 전체를 정지시켜서라도 즉각 수정이 이뤄진다. 같은 잘못을 반복하지 않기 위한 조치다. 생산라인에 이상 상황이 발생하면 담당 작업자가 생산라인을 정지시켜 원인을 제거해 개선하고, 이것을 새로운 표준으로 삼는 것이 바로 사람인(人)변이 붙은 자동화다.

자동화(自動化)와 자동화(自働化)는 발음이 같지만 의미에는 분명한 차이가 있다. 전자가 스스로 움직이는 개념이라면 후자는 스스로 멈춘다는 개념이다. 한자를 자세히 보면 '동'자가 틀리다. 동(働)자에 사람인(人)변이 붙어 있어서 인변자동화라 부른다. 한자사전에는 '굼닐다(몸을 굽혔다 일으켰다 하다).' '일하다.'는 뜻으로 나온다. 앞의 자동화는 이상이 발생하더라도 누군가가 스위치를 끄지 않으면 계속 가동된다. 사람을 기계의 보초로 만드는 형국이다. 불량이 발생해도 발견이 늦다. 이상 원인을 조기에 발견하기가 어려워 재발 방지 또한 어렵다. 반면에 인변자동화는 이상이 발생하면 기계 자신이 판단해 멈추는 개념이다.

불량품을 만드는 것은 이익이 나오지 않기 때문에 불량품을 만들어놓고 일했다고 할 순 없다. 따라서 생산 중에 이상이 발생하면 바로 중지한다. 멈춤을 통해 불량품 발생을 나중에 고쳐도 되는 미래의 문제가 아닌, 지금 당장 해결해야 하는 문제로 만든다. 이와 같은 생각은 불량을 절대 만들지 않고, 불량을 미연에 막을 수 있다. 이상 원인을 쉽게 알 수 있어 재발 방지가 수월하다. 사람을 단순히 기계의 보초로 만들지 않는다. 일한다는 것은 움직임을 가치 있는 행동으로 만드는 것이다. 인변자동화는 불량을 후공정에 보내지 않겠다는 도요타의 품질 철학이다.

인변자동화란 이상을 알 수 있고 이상이 생기면 멈추는 라인을 구성하고, 향후 이상도 없고 멈추는 일도 없는 라인을 만드는 것이다. 이상이 생기면 멈추는 라인을 구현하기 위해 '안돈(andon)'이 생겼고, '라인 정지(line stop)' 기능이 생겼다. 안돈의 개념은 2장에서 자세히 설명했기에 여기서는 생략한다.

'라인 정지'는 말 그대로 문제가 생기면 작업을 멈추는 방식이다. 라인 정지에는 'AB 제어'와 '정위치 정지' 두 가지 메커니즘이 있다. 후공정에서 일어나는 일련의 제반 상황을 인식해 전공정 설비를 자동으로 정지(stop)시키는 기능이 'AB 제어'다. AB 제어란 벨트 컨베이어나 긴 자동 라인에서 생산을 제어하는 시스템이다.

연동되어 있는 전공정과 후공정을 가정해보자. 전공정에 물건이 없으면 자동으로 생산지시가 되고, 후공정에 물건이 있거나 대기 규정량에 도달하면 센서(sensor)와 링크(link) 장치가 작동해 전공정 기계를 자동으로 멈춘다. 조금 더 자세히 설명하겠다. 먼저 공정에 A 지점과 B 지점을 결정하고, 두 지점에서 제품 유무에 따라 라인을 움직일지 말지를 판단한다. 라인을 움직여 제품을 이동시켜도 되는 상황은 A 지점(전공정)에 제품이 있고 B 지점(후공정)에 제품이 없는 경우만이다. A 지점에 제품이 없는데 이동시키면 라인이 빌 때까지 이상을 알 수 없을 뿐 아니라, 빈 라인을 채울 때까지 후공정은 멈추고 만다. 그 자리에서 멈추면 A 지점에 제품이 없는 원인을 발견할 수 있고, 대책을 세우면 다시 원활하게 생산할 수 있다. 이상을 빠르게 발견하기 위한 시스템이라고 할 수 있다. (출처: 《THIS IS TOYOTA》, 노지 츠네요시 저)

'정위치 정지'는 이상 발생에 의해 정지시킬 때, 정해 놓은 위치에서 정지해야 하는 기능이다. 컨베이어 흐름 라인에서는 멈춘다는 것은 엄청난 리스크가 있다. 멈추는 순간 비가동으로 인해 돈이 빠져나가기 때문이다. 안전에 관한 이상일 경우는 즉시 정지한다. 프로세스 이상일 경우는 다음(정해진) 위치에서 정지한다. 바로 멈추지 않고 문제만 드러낸다. 문제에 따른 정지의 영향을 최소화하는 방법이다.

이상이 발생하면 멈추어야 한다는 사상을 현장에 적용한 대표 방식이 '풀 푸르프(fool proof)' 개념이다. Fool Proof는 '바보라도 할 수 있는' '매우 간단한' '실수방지가 장치된' 등을 의미한다. 인간의 바보스러움을 차단하는 시스템이며 불량 문제를 해결하는 품질 보증 시스템이다. 부르는 용어도 다양해서 'Error Proof' 'Mistake Proof'라고도 한다. 널리 알려지고 사용되는 방식인 만큼 이름도 다양하게 붙여졌다.

인간은 긴장감이나 주의력을 계속 유지할 수 없기에 실수가 발생할 수밖에 없다. 부주의, 착각, 미숙, 혼란, 오작동과 같은 인간의 실수로 인해 불량, 이종 혼입, 과부족, 정지, 고장, 안전사고와 같은 나쁜 결과가 나온다. Fool Proof의 개념도 시간을 거슬러 올라가면 도요타에서 출발했다. TPS에서는 '포카요케(poka-yoke)'라고 불렀다.

포카요케는 품질관리 측면에서 실수를 방지하도록 행동을 제한하거나, 정확한 동작을 수행하게끔 하도록 강제하는 여러 가지 제한점을 만들어 실패를 방지하는 방법을 말한다. 1960년대 초 도요타의 시게오 신고(新郷 重夫)에 의해 처음 고안됐으며, '실수(ぽか)를 피하다(避ける).'는 뜻의 일본어에서 유래했다.

다음은 한 신문 기자가 도요타 공장을 방문한 후 작성한 기사의 일부이다. 포카요케가 어떻게 현장에 적용되고 있는지 잘 설명해주고 있다.

『엔진 조립라인으로 이동하니 '포카요케'라는 작업실수방지시스템이 눈에 띄었다. 새끼손톱만 한 전구가 작업자의 눈높이에서 녹색-노랑-적색으로 빠르게 바뀌었다. 모토마치 공장의 곤도 히로코 씨는 "작업원이 나사를 지나치게 느슨하거나 빡빡하게 조이면 조임 공구와 연결된 센서가 노랑과 적색으로 바뀌어 경고를 준다."며 "적색불이 일정 시간 지속되면 라인은 자동으로 멈춘다."고 설명했다. 실제로 엔진 변속기를 고정시키는 복수의 볼트 중 하나라도 느슨하게 조여지면 '덜덜'거리는 잡소리를 내게 된다. 고객들이 공업사에 찾아가 문제를 해결하려고 해도 심각한 고장이 눈에 보이지 않기 때문에 다 뜯어보지 않는 한 개선하지 못하는 경우가 많다. 심각한 불량보다 '감성 품질' 부문에서 고객 불만이 커지는 이유다. 도요타는 이 같은 볼트 체결(조임) 불량으로 인한 떨림 소음을 '포카요케'를 둬 시스템적으로 원천 봉쇄했다.』 (출처: 《헤럴드 경제》, 2015/07/07)

Fool Proof는 '품질 또는 기계설비의 에러(error)를 방지하기 위해 이상(또는 비정상) 발생을 방지하거나, 이상이 발생하면 라인을 멈추기 위한 염가(廉價)로 신뢰성 높은 도구'로 정의한다. 한 가지 유념해야 할 부분이 바로 염가, 즉 저렴해야 한다는 의미다. 비싼 비용을 들이기보다는 직원들의 지혜, 간단한 아이디어로 비용을 크게 들이지 않고 구현하는 방법이 가장 바람직하다. 물론 첨단 제품을 자동화 설비로 대량생산하는 라인에서는 여러 감지 장치(sensor)

를 부착하는 등 큰 투자를 통해 구현하기도 한다.

Fool Proof 개념이 적용된 사례는 주위에서 흔히 볼 수 있다. 자동차에서 기어를 주차 상태 위치인 'P'로 놓지 않으면 시동이 걸리지 않도록 만들어 운전자가 자동차를 안전하지 않은 상태로 놔두고 출발하는 것을 방지한다. 또한 컴퓨터는 USB 장치의 플러그를 꽂을 때 뒤집어진 상태로 꼽으려고 하면 작동이 안 되도록 디자인되어 있다. 인지 심리학, 인간과 컴퓨터 상호작용 분야에서도 여러 가지 실수를 방지하는 디자인 원리의 하나로 이용하고 있다.

2013년에 지도한 H사(수원 소재)는 LCD에 들어가는 커넥터(connector)를 생산해 삼성전자에 납품하는 회사였다. 자동화된 설비로 택트타임 3초 간격으로 제품이 만들어졌다. 라인 셋업 초기부터 자동화 제조 설비에 풀 프루프 기능을 장착해 불량이 발생하면 자동으로 배출되는 체계를 갖추고 있었다.

● 풀 푸르프(Fool Proof) 장치. 불량이 발생하면 자동으로 걸러낸다.

인간은 망각의 동물이다. 독일의 심리학자 '헤르만 에빙하우스(Hermann Ebbinghaus)'는 16년 동안 인간의 망각에 관한 연구를 진행했다. 그에 따르면 인간은 10분 후부터 망각하기 시작하고 1시간 뒤에는 50%, 하루 뒤에는 70%, 한 달 뒤에는 80%를 잊게 된다고 한다. 아무리 머리가 뛰어나다고 한들 인간의 기억력은 선천적으로 한계를 가질 수밖에 없다.

"가난한 나무꾼 알리바바가 우연한 기회에 도둑 일당이 보물을 숨겨둔 동굴에 들어가 그 일부를 집으로 가져온다. 그의 욕심 많은 형 카심이 그 비밀을 알고 동굴에 들어가지만 주문을 잊어버려 밖으로 나오지 못하고 도둑들에게 살해된다." 동화 《알리바바와 40인의 도둑》에 나오는 이야기다.

결혼기념일이나 배우자 생일을 깜빡해 곤란한 상황을 겪었던 경험이 있을 것이다. 사람은 누구나 실수할 수 있다. 하지만 이 실수를 어떻게 받아들일지는 또 다른 문제다. 실수나 오류에 대해 책임추궁을 받으면 사람의 심리는 두 가지로 갈린다. 자신의 실수를 인정하거나 아니면, 주변 환경 탓한다. 실수에 대해서 긍정적으로 받아들이는 자세가 필요하다. 실수는 제거될 수 있다고 믿고 실수가 왜 발생했는지 질문한다. 일에서 실수 원인을 찾는 환경을 조성하고, 100% 검출하기 위한 실수방지 장치를 연구해 실행한다.

에러는 인간의 고유한 다양성에 기인한다. 같은 실수라도 두 번 이상 반복해서 발생할 수 있다. 에러는 잘못된 입력, 프로세스, 지시에 의해서 생기지만 적절한 관리를 통해 예방할 수 있다. 적절한 관리를 통해 위반을 준수로, 실수를 안전습관으로 바꿀 수 있다.

'휴먼에러(human error)'란 '실수하는 인간이 일으키는 사고'로 정의한다. 실수하는 것이 곧 인간이다. 최근 산업현장은 스마트팩토리 붐으로 자동화 설비가 도입되면서 상당 부분 기계가 인간을 대체하고 있다. 하지만 여전히 기계를 조작, 관리, 운용하는 것은 인간의 영역이다. 산업현장에서 일어나는 결함이나 사고의 대부분이 인간의 실수 또는 불안전한 행동으로 발생한다. 휴먼에러에 대한 이해와 대책을 고민해야 하는 이유다.

통계학적으로 인간은 하루에 5만 가지 생각을 하고, 2만 개의 행위를 하며, 그중 두 번의 실수를 한다. 또한 두 번의 실수 중 80%는 감지되고 20%는 감지되지 않는다. 감지되지 않는 실수 중 25%, 전체 실수의 5%가 아주 심각한 실수로 분류된다. 100명의 작업자가 있다고 했을 때 하루 200번의 에러가 발생하며, 그중 40개의 에러는 감지되지 못하며, 10개의 에러가 심각한 사고로 이어지는 셈이다.

인간의 정보처리 단계에서 휴먼에러는 '착오, 실수, 건망증, 위반'으로 분류한다. 틀린 줄 모르고 수행하는 것을 '착오(mistake)'라 한다. 작업자가 "정말 몰랐어요(처음이에요)." 하는 경우다. 의도와는 다른 행동을 '실수(slip)'라 한다. 작업자가 "단순 실수였어요." 하는 경우다. 기억의 실수를 건망증 또는 '망각(lapse)'이라 한다. 작업자가 "앗 깜빡했어요." 하는 경우다. 규칙이나 명령, 약속을 지키지 않고 어기는 것을 '위반(violation)'이라 한다. 작업자가 "다들 그렇게 해요(할 수 없이 그렇게 했어요)." 하는 경우다. 유형별로 발생 가능한 상황을 이해하고 휴먼에러 방지 대책 적용이 필요하다.

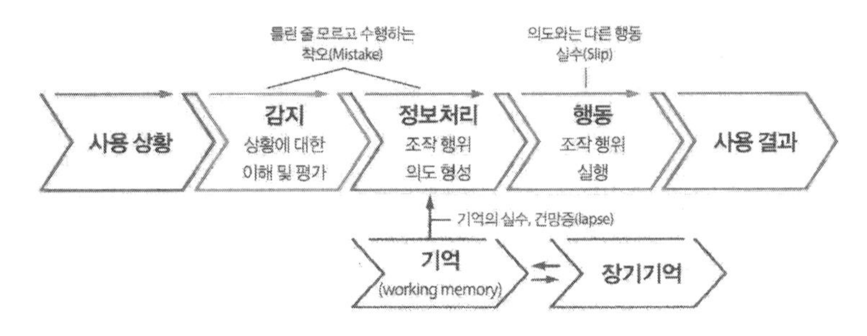

● 정보처리 단계에서의 휴먼에러 메커니즘

불안전한 행동이나 상태를 발견했다고 해서 당장 완벽하게 원인을 제거하기에는 현실적으로 한계가 있다. 조직적으로 예방 대책을 수립하고 적용해야 하는 이유다. 휴먼에러를 줄이기 위해서는 현장의 정리정돈(5S), 표준정비, 교육훈련과 작업자 숙련도 향상, 눈으로 보는 관리(VM), Error Proof 장치 설치 등이 유용하다. 근로환경 정비, 작업자 휴식시간 보장, 잔업시간 최소화, 애로사항 청취, 컨디션 관리, 반복적인 주지 등 다양한 일상 관리에도 신경 써야 한다.

품질은 공정에서 달성한다

과거 생산방식에서 제조부는 물건 만드는 일, 품질부는 검사하는 일로 정의되었다. 품질부가 공정과 공정 사이에 공정검사 게이트, 최종공정과 고객 사이에 출하검사 게이트를 두고 검사로 불량을 잡아내는 것이 주목적이었다. 이런 방식은 몇 가지 맹점이 있다.

최종검사에서 불량이 발견되면 불량품 수정으로 인한 원가가 올라간다. 어느 공정이 귀책인지 규명하는데 장시간 소요되어 원가를 잡아먹고, 물건이 거의 완제품까지 진행되어 수리나 재작업에 공임이 많이 들어간다. 또한 품질부가 문제(불량)를 제기하면 생산 공정 중 어느 공정에서 기인한 문제인지 규명이 애매할 때가 많다. A공정은 뒤 B공정 탓이라고 하고, B공정은 앞 A공정 탓이라 주장한다. 자연스럽게 충돌과 갈등을 유발한다. 문제해결을 통한 재발 방지는 커녕 서로 내 잘못이 아니라고 한다. 최악의 경우는 서로 미루다

세월만 흘러가고 개선은 시작도 못 해보고 흐지부지된다.

자공정 품질보증이 되려면 '품질은 공정에서 달성한다.'는 개념을 철저히 적용해야 한다. A공정은 작업과 함께 검사를 포함해야 하고 B공정도 마찬가지다. 각 공정이 자기 품질을 보증하는 것이 '자공정 완결' 개념이다. 문제(불량)가 생기면 금방 어느 공정이 잘못 만들었는지 알 수 있다. 논란이 없어진다. 문제해결을 통한 재발 방지 대책이 원활히 수립된다. 이렇게 되면 품질부는 검사할 필요가 없어진다. 그 여력으로 입고품질을 강화하기 위한 수입검사와 고객품질을 보증하기 위한 출하검사에 집중하면 된다. 전방위 관리를 위해 부품업체에 출장검사를 나가기도 수월해진다. 단, 불량 제품이 회사를 떠나 고객에게로 유출된 경우는 품질부가 주도적으로 대응하고 개선한다.

'모든 품질은 품질부가 책임진다.'는 생각은 자칫 위험한 생각이다. 품질은 공정에서 만들어져야 한다. 품질부는 제조부의 지원역할을 하면 된다. 제조부가 질 좋은 제품을 만들 수 있도록 지원하는 임무가 품질부의 존재 이유다.

품질을 공정에서 달성하려면 품질보증의 세 가지 항목을 지켜야 한다.

첫째, '수입의 보증'이다. 불량품을 받지 않는 것이 수입의 보증이다. 이전 공정의 불량품을 발견해 사용하지 않아야 한다. 품질부에서 부품에 대한 수입검사를 하지만, 모든 부품을 전수로 검사해 불량을 걸러내기란 어려운 일이다. 특히 인력이 부족한 중소기업에서 그렇다. 수입검사를 한다고 하나 공정에서 불량 부품이 발견되는 경우가 많다. 전수검사는 엄두도 못 내고, 샘플링으로 충분치 못한 시료를 검사하기 때문이다. 행여나 수입검사에서 불량 잡고 납품한 업체에 개선대책을 요구하면 며칠째 무응답이다. 발주 기업보다 부품기업이 규모가 훨씬 큰 경우에는 더 심하다. 아예 맘대로 하라고 배짱부린다. 그깟 물량 너무 적어서 앞으로 거래 안 하겠다고 말한다. 속 타 미친다. 부품기업이 영세한 경우는 더더욱 많다. 자기 회사는 너무 열악해 개선대책서 쓸 사람도 없다고 말한다. 기가 막히고 복장이 터진다.

품질이 안 좋은 협력업체는 개선을 강력하게 요구할 필요가 있다. 좀 더 적극적으로 압력을 가해 품질 개선을 꾀하지 않으면 부품 경쟁력을 더 키울 수 없다.

수입의 보증을 위해서는 작업자 순차검사 실시가 좋은 대안이다. 자기 공정에 투입된 자재와 전공정에서 건너온 반제품을 스스로 검사 확인하는 방법이 순차검사다. 혹자는 말한다.

"이렇게 많은 부품들을 언제 다 검사합니까? 물건은 언제 만들라는 말입니까?"

그래서 순차검사 기준서가 필요하다. 불량난 부품, 불량난 특정부위는 다시 재발할 확률이 높다. 정밀한 치수 측정은 시간이 오래 걸리고 고도의 스킬을 요구하기에 순차검사에서 수행하기 곤란하다. 템플릿 또는 고노게이지(gono gage)로 간단히 확인하거나 주요 부위의 외관 확인, 품번 확인 등으로 순차검사 기준서를 만들어 주면 된다. 순차검사 소요시간은 전체 공정 사이클 타임의 5% 내외가

적당하다.

순차검사를 하라고 하면 이런 질문이 온다.

"검사하면 기록을 남겨야 하는데, 언제 기록하고 언제 작업하란 말입니까?" 부정적인 반응이다.

중요한 것은 기록하는 행위의 유무를 떠나, 작업자가 의식을 가지고 제대로 순차검사를 진행하는 것이 진리다. 필자는 순차검사 기록까지 요구하는 것은 무리라 판단하고 대신, 순차검사를 제대로 하는지 계층별 공정감사(LPA, Layered Process Audit) 수행을 요구한다.

둘째, '자공정의 보증'이다. 불량품을 만들지 않는 것이 자공정의 보증이다. 품질보증은 검사 공정이 아닌 각 제조 공정에서 100% 보증되어야 한다. 불량품은 처음 한 개만 만든다. 불량품을 일부러 꼭 한 개만 만들라는 이야기가 아니다. 제품을 처음 한 개 만들고 자주검사를 하면 양품인지 불량인지 바로 알 수 있다. 양품이면 계속 진행하면 되고, 불량이면 잘못된 방법을 찾아 고쳐 작업하면 이후 제품에 불량은 없을 것이다. 로트(lot)로 묶어서 생산하는 경우도 마찬가지다. 로트의 첫 제품, 즉 초(初)물을 검사하면 된다. 초물이 양품이면 동일한 조건, 동일한 방법으로 생산되기 때문에 그 로트의 모든 제품은 양품인 것이다. 보다 정확한 품질보증을 위해 중(中)물, 종(終)물 검사도 당연히 필요하다.

자공정의 보증을 위해서는 반드시 철저히 자주검사를 해야 한다. 자주검사를 하는 목적은 불량품의 발생방지와 동시에 불량품의 유출방지를 위해서다. 자주검사는 100% 전수검사가 원칙이며 반드시 기록을 남겨야 한다. 자주검사 체크시트를 작성하는 것이 검사 포인트를 누락하지 않고 제대로 검사하도록 도움을 주기 때문이다. 자주검사 소요시간도 순차검사와 마찬가지로 전체 공정 사이클 타임의 5% 내외(또는 2분 이하)가 적당하다.

셋째, '출하의 보증'이다. 불량품을 유출하지 않는 것이 출하의 보증이다. 양품을 100% 후공정(고객)에 전달해야 한다. 출하검사는 능력이 검증된 훈련받은 검사원을 투입하고 출하검사 기준서에 따라 빠짐없이 수행한다. 출하검사는 고객에게 제품을 보내기 전에 최종적으로 불량을 걸러내는 활동이다. 다만 '불량을 꼭 잡아내겠다.'는 식의 검사보다는 공정에서 100% 양품을 만들었을 테지만 혹시나 하는 마음에 '출고 전 최종 점검해본다.'는 식으로 진행하는 것이 바람직하다. 출하검사는 가능한 하지 않는 것이 최선이다. 그 전제는 공정에서 100% 양품을 만들 수 있는 자공정 보증이 되어야만 가능하다.

자동차 업종을 가보면 출하검사원들이 작업자수만큼이나 많이 배치되어 있는 상황을 종종 보게 된다. 완성차 업체나 자동차 1차 벤더만 보더라도 수입검사 없이 무검사가 관행처럼 되어 있다.

"너희 제품 검사 안할 테니, 알아서 100% 양품 보내라. 그런데 우리 라인에서 너희 제품 불량나면 바로 클레임 때릴 테니 그리 알아라!" 뭐 대충 이런 의미다.

출하검사원 인건비가 만만찮을 텐데 고객라인 불량이 나면 클레임 처리 비용 무서워서 눈물 머금고 배치할 수밖에 없다. 검사원 인건비 인한 품질비용(Q-Cost) 부담이 만만치 않다. 자공정 품질보증 체계가 완벽하게 구축되어 운영되면 출하검사를 간략화 할 수 있다. 신제품이나 신기종 등 특별한 경우에는 출하검사를 200% 진행하기도 한다. 고객이 200% 출하검사를 직접 요구하기도 한다.

'품질은 공정에서 달성한다.'를 실현하기 위해서 필요한 네 가지 기본요소가 있다.

첫째는 '라인 정지'다. 제품의 품질보증을 위해 기업에서 무엇보다도 우선되어야 할 대전제는 모든 공정에서 후공정(고객)이 필요로 하는 것(요구하는 품질)을 필요한 만큼 필요할 때 확실히 만드는 데 있다. 요구하는 품질의 보증을 위해서는 단 한 개라도 불량이 발생하면 그 현상을 파악해서 원인을 찾고 근본본인을 규명해 재발을 방지해야 한다.

생산라인에서는 1개 단위로 물품을 흘리고, 표준작업으로 반복 작업을 하며, 흐름라인을 만들고, 될수록 리드타임을 단축한다. 이러한 구조는 라인 정지를 통해 문제를 해결하는데 도움이 된다. 불량이 발생하면 즉시 라인을 정지할 수 있어야 품질을 공정에서 만들 수 있다.

둘째는 '표준작업'이다. 좋은 품질 만들기에서 가장 중요한 것은 그 기능을 인식하는 것이며, 약속을 반드시 지킬 수 있는 체계를 만드는 것이다. 표준작업표, 표준작업조합표, 표준재공 등이 도움을 준다. 표준작업이 되면 자연스런 흐름 속에서 검사를 실시할 수 있다. 작업자는 표준작업에 근거해 품질 우선주의로 작업을 진행한다. 색깔 표시, 자동정지 장치 등 Fool Proof 방식이 표준작업에 자연스럽게 녹아들어가도록 한다.

셋째는 '자주검사'다. 자주검사란 '후공정은 고객'이라는 인식 하에 자기가 만든 물건을 기준서에 따라 자기 자신이 검사하여 '양품'임을 확인하는 행위다. 절대로 불량품을 흘리지 않겠다고 자기 선언하고, 책임지고 양품만을 후공정으로 보내는 일이다. 또한 정해진 대로 확실히 실행하는 일이다. 작업자가 정해진 시간마다 자기가 만든 것을 자기가 검사기록하고, 결과 상태를 체크하면서 불량을 절대로 흘리지 않는 품질의식이 필요하다. 자주검사 기록은 품질의 산포 상태를 나타낸다. 항상 이 상태를 감시하면서 작업해야 하고, 체크시트는 안심하고 작업하기 위한 도구의 하나다.

이상이 발생하면 작업자는 즉시 안돈을 가동해 관리자를 부른다. 필요하면 즉시 라인을 정지한다. 불량품은 절대로 후공정으로 흘리지 않는다. 즉시 근본 원인을 탐구하고 대책을 수립한다. 앞 공정 책임인 경우 즉시 앞 공정으로 반환하고, 결코 자기 판단으로 손질이나 선별하면 안 된다. 불량을 만든 공정에서 원인을 추구해야하기 때문이다. 불량품은 즉시 식별테그를 부착하고 별도로 격리한다. 시작시간과 종료시간이 품질을 좌우하는 순간이다.

마지막 넷째는 '실수방지'다.

전수검사나 자주검사를 실시하더라도 '깜빡' 잊거나 '멍' 때리다 작업을 빠트리는 일이 있다. 이를 '휴먼에러'라 한다. 치공구나 기계를 통해 자동 방지하는 체계가 Fool Proof이며, 이 장치는 효과가 확실하고 저렴하며 부작용이 없어야 한다. Fool Proof 장치는 설치할 때 다각도로 테스트가 필요하다. 일단 설치하면 의존도가 높아지기 때문에 더 큰 문제를 일으키는 경우가 있다. 매일 아침 한 번은 반드시 체크해야 한다. 첫 작업물 또는 마스터 샘플로 Fool Proof 장치가 정상 작동하는지 확인한다. 양품을 정상으로, 불량을 이상으로 판단하는지 체크한다. 가장 알맞고 손실이 없는 장소에 설치한다. 어디까지나 불량 제로 실현이 목적이다.

품질보증망을 펼쳐라

"불량품을 생산하는 회사에는 못된 벌레 한 마리가 살고 있다. 그 벌레의 이름은 '대충'이다."

어느 회사의 현장에 걸린 플래카드다. 혹자는 품질혁신 활동을 박멸(撲滅)이라는 단어를 넣어 '불량박멸 작전'이라고 부른다. 박멸은 '모조리 잡아 없애다', '뭔가 (나쁜 것을) 완전히 없애다'란 뜻이다. '바퀴벌레를 박멸하자!'는 슬로건처럼, '불량이라는 벌레를 박멸하자!'는 의미일 것이다.

BIQ의 사상은 이해했고 '공정에서 품질을 달성한다'는 개념은 알겠는데, "그럼 어떻게 하라는 말이냐?"라고 의문이 생길 수 있다. 지금부터 이 이야기를 하려 한다.

BIQ에는 크게 나누어 3개의 영역이 있다. 외주품질 보증을 위한 '수입부품 품질관리' 영역, 공정품질 보증을 위한 '양산공정 품질관리' 영역, 마지막이 '품질 개선' 영역이다.

'수입부품 품질관리'는 능력 있는 협력사를 발굴하고 지속적으로 양품을 공급할 수 있는 능력이 있는지 객관적으로 검증해야 한다. 입고되는 제품의 수입검사를 통해 100% 양품만 공정으로 투입해야 한다.

'양산공정 품질관리'를 위해선 표준 설정이 최우선이다. 믿고 따를 수 있는 표준이 필요하다. 작업표준은 양산 전 제품(공정)개발 단계에서 진행한 PFMEA(Process Failure Mode Effect Analysis)와 CP(Control Plan, 관리계획서)를 바탕으로 만든다. 표준이 만들어지면 제조공정에서는 표준을 교육하고 LPA를 통해 표준 준수 여부를 수시로 점검한다. 4M 변경점 관리와 형지그 관리도 중요하다. 공정을 거치면서 제품이 만들어지면 게이트(Q-Gate)를 만들어 공정검사와 출하검사를 진행한다. 게이트에서 불량이 발견되면 부적합 관리체계를 가동한다. 부적합은 식별·격리하고 봉쇄 조치한다. 부적합 처리란 수리, 재작업을 통해 불량을 양품화하거나 폐기하는 활동이다.

'품질 개선' 영역의 시작은 발생된 부적합을 신속하게 공유하고 대응하는 것이다. 발생된 문제는 근본 원인을 찾아 재발 방지함으로써 해결한다. 품질뱅크(Q-Bank)에 문제를 등록하고 문제가 해결될 때까지 추적관리한다.

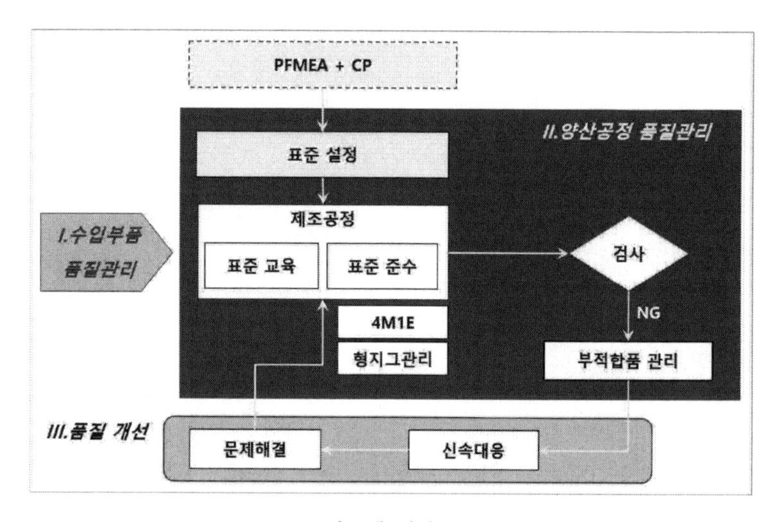

● BIQ의 3대 영역 Diagram

2017년에 지도한 C사는 경기도 일산에 위치한 회사다. 60여 명의 직원이 근무하며 매출은 200억 정도다. 조향장치와 전장모듈을 생산하는 회사로 자동차와 지게차 완성차에 납품한다. 공정 흐름은 '부품투입 → Sub조립 → Main조립 → 기능검사 → 출하' 순서로 진행한다. 품질 경쟁력을 향상해 달라는 요청을 받고 프로젝트를 시작했다. 처음 들어가 보니 어디서부터 손을 데야 할지 모를 정도로 상황이 좋지 않았다.

고객사와 품질목표합의제를 실시하고 있으나 매년 목표달성에 어려움을 느낀다. 출하된 제품이 고객라인에서 불량이 빈번하게 발생해 품질담당자는 늘 쫓아다니느라 정신이 없다. 수입검사는 일부 품목만 진행한다고 하며 명확한 기준도 없이 진행한다. 출하검사는 전수로 진행한다고 하나 고객라인에서 불량이 수시로 발생한다. 현장관리자는 감독자 역할을 못하고 현장에서 거의 작업자 수준으로 일하고 있다. 현장에 작업표준은 있다고 하나 제구실을 못한다. 작업자는 작업표준이 어디에 있는지도 모르고 작업표준 내용도 실제 작업과 맞지 않다. 중소기업의 특성상 인력 유동이 많아 교육하는 데 한계가 있다고 입버릇처럼 말한다.

불량 내역은 오조립, 미조임, 조립누락 등 휴먼에러성이 많다. 한 번 발생한 품질문제는 재발이 빈번하며, 현재 회사의 상황에서는 개선이 힘들다는 말을 많이 한다. 기술적 한계(neck), 인력 부족, 처우에 대한 불만 등이 많아서 어쩔 수 없다고 한다. 품질지표(KPI)는 관리하고 있으나 데이터 신뢰성이 떨어지며, 품질부서 차원에서만 관리하고 있다. 현장작업자나 타부서는 별로 관심이 없다. 주기를 정해 진행하는 공식적인 품질회의체는 없고, 품질문제는 품질부서 책임이라는 분위기가 강하다.

C사는 멀지 않은 과거에 고객사 도움으로 일본 전문가에게 지도를 받아 혁신에 성공한 경험이 있었다. 대표이사는 현실을 직시하려 했으나, 여전히 그 당시의 성공에 도취되어 있는 듯했다. 품질문제 이외에도 현장에는 낭비가 많고 단납기에 항상 쫓기는 상황이었다. 무엇보다 현장의 분위기가 축 처져 있었다.

이러한 상황은 비단 'C사'의 문제만은 아니다. 필자의 경험상 불량률이 높고 품질 사고가 빈번한 제조업체에서 흔히 볼 수 있는 모습이다. 총체적인 난국으로 인식하고 경영진과 협의해 '공정품질보증망(網)'을 추진하기로 했다.

공정품질보증망은 공정의 완벽함을 보증하는, 불량이라는 '고기'

를 잡는 그물을 펼쳐서, 불량이라는 고기가 어디에서 빠져나가는지 철저히 확인하는 활동이다. 고기가 그물을 빠져나가는 이유는 그물망이 찢어졌거나 그물망이 촘촘하지 못해서다. 그물망이 찢어지면 고기가 모두 도망가듯 불량이 다량으로 발생한다. 그물망이 촘촘하지 못하면 작은 고기가 그물코 사이를 자연스럽게 빠져나간다. 작은 고기는 아차 하면 발생하기 쉬운, 실수하기 쉬운 불량이다. 한번 빠져나간 고기는 어쩔 수 없다. 그물망을 고쳐서 다시는 빠져나가지 못하게 하면 된다. TV에서 흔히 보는 어부의 일상 풍경을 상상해 보라. 고기 잡으러 깜깜한 새벽에 출항해 점심녘에 돌아와서, 오후에는 그물 정비와 보수에 시간을 다 쓴다. 공정품질보증망은 그물을 펼치는 활동과 함께, 그물망을 철저히 고쳐가는 활동이다.

공정품질보증망을 펼치기 위해서는 '품질방어벽 체계'와 '품질신속대응 체계'라는 양대 기둥을 세워야 한다. 품질방어벽 체계는 그물을 던지는 활동이며, 품질신속대응 체계는 그물망을 고치는 활동으로 이해하면 쉽다.

품질방어벽 체계의 첫째 활동은 '작업표준 정비'다. C사도 작업표준이 없진 않았다. 하지만 일부 작업자는 현장에 비치되어 있는지도 몰랐고, 있다고 하더라도 내용을 잘 몰랐다. 작업표준 '따로', 작업 '따로'이다. 더 심각한 문제는 작업표준을 만드는 방식이었다. 앞서 말했듯 작업표준은 관리계획서(CP)를 바탕으로 만들고, 관리계획서는 PFMEA 결과를 바탕으로 만들어야 한다.

"PFMEA 문서와 CP가 있습니까?" 필자가 물었다.

"네, 있긴 합니다만……." 담당자가 CP를 보여줬다.

"이거 누가 만드셨나요?"

대답하는 사람이 아무도 없다. 서로 마주 보며 눈만 껌벅껌벅거린다. 고객사에 제출하는 PPAP(Production Parts Approval Process, 양산부품 승인 절차) 문서에는 PFMEA, CP가 기본으로 들어간다. 하지만 작성하는 방법은 물론, 왜 만들어야 하는지, 어떤 효용이 있는지 이해가 부족했다. 매번 기종명만 바꿔서 Ctrl+C, Ctrl+V 했다는 이야기다.

예방중심의 품질보증을 위해 PFMEA와 CP가 왜 필요한지와 작성법을 교육하고, 대표 모델을 정해 작성 연습을 마쳤다. PFMEA 작성할 때 주의할 점은 최근 1년 동안 불량 발생이력을 반드시 반영해야 한다는 것이다. 필드 불량, 고객라인 불량, 출하와 공정의 주요 불량 내역을 조사해 발생도(occurrence)와 심각도(severity)를 평가하고 PFMEA에 반영한다. 중요 품질 사고는 다시 발생할 확률이 높기 때문이다. 공정에서 어떻게 관리해야 예방할 수 있는지, 발생해도 어떻게 검출할지 방안을 찾아 적용해야 한다.

PFMEA와 CP를 이해하고 목적에 맞게 작성했더니, 관리자들은 과거 작업표준이 엉터리로 만들어졌다는 사실을 깨닫기 시작했다. 모든 기종에 대한 작업표준을 다시 만들었다. 작성에 오랜 시간이 걸리지만 일정표를 짜고 최대한 맞추려 했다. 작업표준을 '만들고, 배포하고, 교육하고'를 병렬로 진행해 시간을 단축할 수 있었다.

품질방어벽 체계의 둘째 활동은 'Q-GATE 운영'이다. 공정에서 품질을 달성한다는 BIQ의 원칙을 정하고 검사 게이트를 설정했다.

공정에서는 작업자 자주검사와 최종 공정에서 수행하는 외관·기능 검사 게이트를 설치했다. 고객과의 접점에는 출하 게이트를 설치하고, 공장 전체의 '게이트 맵(Gate Map)'을 그렸다. 현장에는 '검사 GATE' 명판을 제작해 부착했다. 큼지막하게 만들어 눈에 확 들어오게 했다. 순차검사, 자주검사, 외관검사, 출하검사에 대한 기준서를 만들고 작업자와 검사원을 교육했다.

품질방어벽 체계의 셋째 활동은 '작업자 스킬관리'다. 작업자 스킬관리는 '다기능화(multi worker)'로도 부른다. 유연한 생산을 위해 다공정 담당자를 육성하는 체계다. 다기능화는 품질을 위한 '팔방미인'을 키우는 활동이다. 현장관리자는 한 사람이 여러 공정의 작업을 수행할 수 있도록 작업자를 교육훈련해야 한다. 훈련되고 인증된 작업자가 작업을 수행토록 하는 것은 현장관리자의 책임이다. 또한 검사공정은 검출력을 높이기 위한 개선활동을 해야 한다. 검사원의 검출력을 측정하고 향상하기 위한 맞춤식 교육훈련 제공과 다기능 평가가 이루어져야 한다.

도요타는 '작업자 1인당 3공정 이상을 수행할 수 있도록 한다.'는 다능공(多能工) 목표를 세워 작업자 교육에 힘쓴다. 다능공은 복수의 기능이나 전문지식을 보유해 각기 다른 공정을 도맡아 할 수 있는 인재를 뜻한다. 일본에서는 역대 최고 수준의 고용 호황으로 인재 확보가 어려워지면서 다능공 육성의 필요성이 높아졌다. 한국도 급격히 진행되고 있는 고령화와 현장 기피 현상 때문에 다능공 육성 필요성이 날로 높아지고 있다.

다기능화 레벨은 4단계로 구분한다. 0레벨의 정의는 '전혀 할 수 없다.'이다. 1레벨은 '조금 할 수 있다', 2레벨은 '거의 할 수 있다', 3레벨은 '혼자 할 수 있다', 마지막 4레벨의 정의는 '타인을 가르칠 수 있다'이다. 3레벨 이상 되어야 단독 투입이 가능하다.

C사의 경우 다기능공 육성보다는 작업자가 '공정에서 제대로 품질을 달성할 수 있는가?'에 초점을 맞추었다. 작업자 '교육훈련 커리큘럼'을 만들고 교육항목별로 모든 교재를 만들었다. 이미 제작한 작업표준, 검사표준은 그 자체로 훌륭한 교재가 된다. 처음부터 다시 시작한다는 심정으로 모든 작업자에 대해 집합 교육과 현장 교육을 진행했다. 여담이지만 향후 작업자 현장 교육은 4차 산업혁명 흐름에 맞추어 AR(Augmented Reality, 증강 현실)과 VR(Virtual Reality, 가상 현실)을 활용하는 시대가 조만간 올 것으로 생각한다.

작업표준을 교육한 후에는 모든 인원에 대해 서명을 받았다. 표준 교육을 받았고 그대로 준수하겠다는 다짐을 서명으로 대신했다. 나중에 '교육을 제대로 못 받았다.'는 등 핑계 대지 말라는 의미다. 총 4레벨로 능력 기준을 정해 평가하고 숙련도 현황판을 제작해 비치했다. 신입사원의 경우 1주 이론교육과 이후 3주간의 현장체험을 거쳐 총 4주 후 숙련도를 평가했다.

품질방어벽 체계의 넷째 활동은 '계층별 공정감사(LPA)'다. LPA는 작업자를 대상으로 '표준이 있는지, 표준을 이해하고 있는지, 표준을 준수하고 있는지'를 정해진 주기로 점검하는 활동이다. 대표이사는 월 1회, 팀장은 주 1회, 현장관리자는 일 1회로 주기를 정했다. 설정된 주기로 체크리스트를 가지고 점검토록 했다. 현장 입장에서는 점검자만 매일 바뀔 뿐, 거의 매일 점검(audit)을 받아야 하는 상황이다. 긴장하지 않을 수 없다. 표준이해가 부족하면 재교육하고 다시 서명을 받았다. 표준준수가 안 되면 품질반성회에서 직접 소명(疏明)토록 했다. '표준(rule)은 반드시 지켜야 한다.'는 분위기를 만들기 위해서다. 품질방어벽 체계의 핵심 4개 활동을 통해 불량이 발생하지 않는 구조, 불량이 발생하면 검출되는 구조를 만들었다.

불량이 발생하면 "어라! 어쩌다 고기(불량)가 그물망(게이트)을 빠져나갔지?" 하며 민감하게 반응하고 신속하게 대응해야 한다. 이런 체계가 바로 '품질신속대응 체계'다.

품질신속대응 체계의 첫째 활동은 '부적합 봉쇄'다.

부적합 식별표(tag)를 설계하고 발생 즉시 부착할 수 있게 공정마다 비치했다. 부적합 격리함도 만들어 공정마다 비치했다. 부적합을 식별하고 격리하는 활동을 포함해 '당일 불량, 당일 처리' 원칙으로 OPL을 만들어 교육했다. 부적합 억제 시트(containment sheet)를 설계해 부적합 봉쇄활동을 진행했다.

품질신속대응 체계의 둘째 활동은 'QFR 보드 운영'이다. 매일 연속적으로 제품을 만들고 있기 때문에 대책이 늦어지면 늦어질수록 불량이 늘어난다. 문제가 발생하면 그 날 중으로 어떤 대책이든 실시하는 것이 가장 중요하다. 고객라인 불량이 발생하면 비상사태다. 품질담당자는 즉각 고객사로 출동해 불량 증상을 확인하고 부적합품을 회수해야 한다. QFR은 'Quality Fast Response'의 약어로 '품질신속대응'이라 부른다.

먼저 QFR 보드를 설계했다. 불량 접수일, 불량 제품, 수량, 불량 내용, 개선 일정 등을 테이블 형태로 만든 보드다. 불량이 발생하면 재발 방지를 포함한 개선이 완료될 때까지 추적 가능하다. 이상을 조속히 정상으로 돌리는데 유용한 '눈으로 보는 관리(VM)' 도구이다. 가시성이 좋도록 충분히 크게 제작해 현장 입구에 설치했다. 'QFR 보드 운영 Rule'을 만들어 교육하고 반드시 지키도록 했다.

품질신속대응 체계의 셋째 활동은 '품질회의체'다.

품질회의체는 일일 아침 조회, 주간 회의, 월간 회의로 구분해 설계했다. 회의목적, 시간, 장소, 주관자, 참석 대상, 안건 등을 정리해 실행이 쉽도록 했다. "몇 시에 어디서 무슨 회의 하니 누구누구 참석하시오."라는 별도 공지가 필요 없다. 시간 되면 당연히 회의에 참석해야 한다. 주관자 부재 시 누가 대신할 건지도 정해두었다. "오늘 공장장님 출장이신데, 회의 하나요?"라고 질문하면 생각 없는 사람 취급당한다. 일일 아침 조회는 07:50분에 생산팀장 주관으로 QFR 보드 앞에서 입식으로 진행했다. 당연히 현장작업자, 검사원 전원이 참석한다. 전일 발생한 고객라인 불량과 사내 중요 불량에 대해 공유하고 주의를 준다.

주간회의는 공장장 주관으로 전 팀장과 현장관리자 모두 참석한다. 주간 단위로 품질지표를 집계하고 공유한다. Q-BANK에 등록된 문제의 개선 진도 상황을 점검하고 추가 대책을 논의한다. 필자는 매주 방문하면 "품질지표부터 봅시다."라고 말한다. 고객라인 불량률, 출하 불량률, 공정 불량률 순서대로 확인하고 추이를 확인해 좋아지고 있는지, 나빠지고 있는지 모니터링 한다. 일종의 압박이다.

월간 회의는 대표이사 주관으로 진행한다. 품질지표에 대한 목표 대비 실적과 달성율을 체크한다. 목표 미달 사유에 대해 팀장이 대책을 발표한다. 경영자는 지시사항을 하달하고 추가로 지원해야 할 사항을 결정한다. C사의 경우는 모듈 조립작업에서 휴먼에러가 가장 많았다. 휴먼에러 불량을 가장 많이 낸 작업자는 'Human Error 재발 방지 대책서'를 작성해서 월간 회의 시 발표토록 했다. 나쁘게 표현하면 공산당의 '자아비판'이다. 좋게 표현하면 '실수를 인정하고 불량을 만들지 않겠다.'는 다짐을 듣는 기회다. 발표가 부담스러우면 집중해서 불량 내지 말라는 시그널이다.

품질신속대응 체계의 넷째 활동은 'Worst 개선'이다. Worst 불량 개선은 만성적, 고질적 불량 중심으로 테마개선활동을 전개하는 것이다. 월간 단위로 가장 불량이 많은 불량유형 Worst 3를 정해 '5D Report'를 작성토록 했다. 매주 과제별로 5D 단계별 충실도를 점검하고 진행 상황을 관리했다. 문제해결 역량을 높이기 위해 교육도 수시로 했다. 품질신속대응 체계의 핵심 4개 활동을 통해 불량이 발생해도 신속하게 대응하는 구조, 불량이 재발하지 않는 구조를 만들었다.

C사는 약 10개월간의 공정품질보증망 추진 결과 고객라인 불량이 개선 전 4200ppm에서 개선 후 1400ppm으로 65% 개선되었다. 고객라인 불량률을 최소화하는 것이 1차 목표였다. 고객라인 불량이 줄어드니 고객에게 불려가 고개 숙일 일이 줄어들고 현장 분위기도 한창 밝아졌다.

고객라인 불량이 줄면 단기적으로는 공정 불량률, 출하 불량률 같은 사내 불량이 증가한다. 검출력이 높아져 최대한 고객 유출을 막아내기 때문이다. 공정품질보증망 활동을 꾸준히 진행하면 서서히 출하 불량률이 줄고, 다음으로 공정 불량률이 줄어든다. 힘들어도 멈추지 않고 꾸준히 하는 수밖에 없다. 공정품질보증망 활동을 중단해도 되는 시점은 존재하지 않는다. 그전에 회사가 문 닫으면 모를까.

6장. CI,

전원이 참여하여 지속적으로 개선한다

문제를 발굴하고 등록하라

"개선은 무한하다."

"개선은 한 번으로 끝나지 않는다. 2, 3차 지속적으로 개선한다."

"전원이 참가하여 개선한다."

귀에 따갑도록 들어본 말들이다. 아는 것과 행하는 것은 또 다른 문제다. "어떻게 하는 것이 지속적인가?" "지속적이 되려면 무엇을 갖추어야 하는가?"에 대한 대답을 명쾌하게 내리지 못했다. 많은 기업이 고민하고 또 고민했지만 그 해답은 쉽게 찾아지지 않았다. 그 해답은 CI다.

글로벌 생산방식(XPS)을 들여다보면 공통으로 가지고 있는 모듈이 '지속적 개선'이다. 영어로는 'Continuous Improvement(이하 CI로 부른다)'이다. 문제가 없는 현장은 없다. 문제가 많거나 적거나 또는 문제가 크거나 작거나에 차이만 있을 뿐이다. 강한 현장이 되려면 생산 현장에서 끊임없이 발생하는 문제에 대해 신속하게 조치할 수 있어야 한다. 또한 한 번 발생한 문제는 재발하지 않도록 근본 원인을 찾아 개선하는 역량이 필요하다.

기업과 프로젝트를 해보면 다양한 사람들을 만난다. 사람 만나는 게 필자의 일이다 싶을 정도다. 오랜 경험이 도움이 되는지 조직원의 역량과 성향을 파악하는 것도 빠른 것 같다. 같은 과제를 내줘도 쉽게 뚝딱 해오는 직원이 있는 반면, 과제의 내용조차 제대로 파악이 안 된 듯한 결과물을 가져오는 직원도 있다. 과제를 어떻게든 풀어오려는 의지도 중요하지만, 과제를 풀어가는 요령도 무시 못한다. 기업이 당면한 문제들을 효과적으로 해결할 수 있는 체계를 갖추고 문제해결사들이 많아진다면 어떨까? 아마도 지금보다는 훨씬 강한 기업이 될 것이다. 강한 현장이 강한 기업을 만들기 때문이다.

CI는 제조 현장에서 발생하는 이상과 문제에 대해 신속한 조치 체계를 지속적으로 운영하는 것이다. 생산 활동에서 지켜야 할 표준과 실제와의 차이를 줄이는 활동이다. 관리계획서, 작업표준 등에 명시된 사항과 실제 행해지는 현상과의 차이를 발견하고 개선하는 활동이다. 개선활동이 지속적으로 추진될 수 있도록 상호간에 의사소통하고 수시로 모니터링하는 활동을 체계적으로 운영하는 것이다.

CI 체계를 갖추고 운영하는 조직은 문제에 대한 신속한 대응력이 있다. 멈추지 않고 지속적으로 개선활동을 추진한다. 전원이 참여하는 혁신문화가 정착된다. 개선활동의 성과와 산출물을 관리해 개선 노하우를 자산화하고 축적한다. CI의 활동 범위는 크게 3단계로 구분한다. 1단계 '문제 발굴', 2단계 '문제관리', 3단계 '문제해결'이다. 지금부터 단계별 핵심 내용을 알아볼 것이다.

CI의 1단계는 '문제 발굴'이다. 생산현장에서는 작업, 품질, 자재, 설비 등 각종 이슈사항과 문제점이 끊임없이 발생한다. 하지만 이를 신속하게 해결하지 않으면 문제가 반복적으로 발생되고 고착화되거나 확대될 수 있다. 강한 현장이 되려면 궁극적으로 현장의 개선은 현장에서 굴러갈 수 있도록 하는 것이 중요하다. 현장에서 직접 과제를 도출해 개선하고 성과를 모니터링하는 역량이 필요하다.

평범한 기업이 안고 있는 공통의 취약점은 직원들이 스스로 문제라고 판단해 개선하는 방식이 아니라, 경영진이 "이것, 저것이 문제니 해결하세요!"라고 지시하는 방식이다. 현장에서 발생하는 각종 이상 현상과 문제에 대해 받아들이는 정도가 직원마다 모두 다르다. 문제를 보는 눈높이가 다르기 때문이다. 동일한 현상이나 이슈를 보더라도 누구는 문제라고 하고 누구는 아니라고 한다. 혁신은 문제를 같이 인식하는 것에서부터 출발한다.

우선, 현장의 문제를 발굴하는 체계부터 갖춘다. 계층별 공정감사(LPA)를 통해 생산현장에서 발생하는 표준 미준수 사항을 문제로 발굴한다. 5S 점검을 진행하고 활동이 미진한 사항과 개선 대상을 문제로 발굴한다. KPI 실적을 보고 추이와 목표달성 정도를 파악해 문제로 발굴한다. 설비보전활동을 통해 설비 고장, 순간정지와 각종 트러블 발생을 문제로 발굴한다. 공정검사와 출하검사, CTQ와 SPC(Statistical Process Control, 통계적 공정관리)에서 발생한 품질 이슈를 문제로 발굴한다. 작업의 흐름을 저해하는 비가동, 정체 등 현장의 낭비 발생을 문제로 발굴한다.

발굴한 문제는 등록해야 한다. 문제 등록은 신중할 필요가 있다. 한 번 등록되면 종결될 때까지 추적되기 때문이다. 공공기관의 행정 업무 민원을 생각하면 된다. 우스갯소리로 공무원들이 가장 무서운 게 '민원'이라고 한다. 민원 하나 발생하면 해결될 때까지 계속 따라다녀서 그렇다. 민원 처리에 민원인이 불만을 제기하거나, 민원 해결이 지연되면 담당 공무원 고과에도 영향을 준다. 그래서 민원이 무섭다고 한다.

문제가 발굴되면 즉시 자동으로 등록하는 방법과 회의체 등에서 결정해 등록하는 방법이 있다. 만약 현장에서 불량 난 상황을 가정해 보자. 공정에서 불량이 나면 문제로 등록해야 하나, 말아야 하나? 품질부서는 등록해서 개선해야 한다고 주장하고, 생산부서는 "불량하나 날 때마다 등록해서 개선해야 하면, 우리는 언제 일합니까?" 하며 불평한다. 그래서 문제 등록기준이 필요하다. 예를 들어 공정 불량 건 중에서 '로트성 불량과 고질 불량은 문제로 등록한다.'는 기준을 정하면 된다.

설비문제도 마찬가지다. 설비고장이 나면 문제로 등록해야 하나, 말아야 하나? 생산부서는 등록해서 개선해야 한다고 주장하고, 보전부서는 "설비 잠깐 설 때마다 등록해서 개선해야 하면 우리는 언제 일합니까?" 하며 불평한다. 예를 들어 '설비고장 건에서 3시간 이상의 장시간 라인 정지는 문제로 등록한다.'는 기준을 정하면 된다.

대표이사가 지시한 사항은 100% 문제로 등록하는 것이 당연하다. 대표이사 지시사항이 이행이 안 되면 문제가 심각하기 때문이다. 대기업은 대표이사 지시사항을 챙기는 별도의 인원을 두기도 한다. 모든 이슈에 대해 문제등록 기준을 정할 수는 없다. 전일 발생한 각종 이슈, 작업자의 제안, 건의사항, 고객 요구사항은 회의체에서 협의해 문제로 등록한다.

발굴된 문제는 현장에서 바로 조치 가능한 경우 '즉조치'한다. 즉조치가 불가능한 경우는 문제등록은 두 가지 형태로 진행한다. 하나는 '즉개선' 과제, 또 다른 하나는 '근인개선(PSP, Problem Solving Procedure)' 과제다. (PSP에 대한 자세한 내용은 셋째 파트에서 다룬다.)

즉개선 과제는 원인과 해결방안이 비교적 명확해 신속하게 조치가 용이한 과제다. 예를 들어 공정불량 중 단순품질 문제로서 현장개선조치가 가능한 사항이다. 라인 특성, 문제해결 속도 등을 고려해 기준을 정하면 된다.

PSP 과제는 체계적 문제해결 과제, 근인개선 과제를 말한다. 원인 파악과 해결방안을 찾기 위해 체계적인 접근이 필요한 과제다. 고질적 품질문제, 다발성 설비 트러블, 발생원 곤란 개소 등 해결에 시간이 오래 걸리거나 팀 활동이 필요한 과제다. 지원부서의 협조나 사내외 전문가 지원이 필요한 문제일 수도 있다. 즉개선 과제로 등록할 것이냐, PSP 과제로 등록할 것이냐도 논란의 여지가 있다. PSP로 등록하면 개선하는 절차가 복잡하고 종결 기준도 까다롭기 때문이다. 구분 기준이 명확하면 논란을 잠재울 수 있다.

문제를 끝까지 추적하라

CI의 2단계 '문제 관리'에서 필요한 주요 활동은 네 가지로 압축된다. 문제뱅크(bank) 운영, 문제 추적관리, 회의체 운영, 현황판 운영이 그것이다.

문제뱅크는 모든 등록된 문제가 있는 풀(pool)이다. 품질문제가 등록된 풀은 'Q-뱅크'라 부른다. 발굴된 문제가 문제 등록기준에 부합하면 모두 문제뱅크에 등록해 운영한다. 문제의 등록과 진척상황을 지속적으로 관리할 수 있다. 문제 추진 상황에 따라 G(완료), Y(진행), R(미실시 또는 부진)로 식별한다. 문제뱅크는 전산 시스템으로 개발해 MES에 장착해서 운영하면 효율적이다. 시스템이 없어도 엑셀(excel)로 충분히 관리 가능하다.

문제뱅크에 등록된 문제는 진행 상황이 투명하게 보여야 한다. 투명하려면 한계 기간 설정이 필요하다. 예를 들어 즉개선 문제가 등록되면 1주 이내(D+7일) 종결이 목표다. PSP 문제의 개선 진행 상태는 현상파악, 개선적용, 유효성확인 단계로 구분하여 4D Report 양식에 따른다. PSP 과제는 한계 기간을 추진단계별로 설정한다. 예를 들어 현상파악(1주, D+7일), 개선적용(2주, D+14일), 종결(close)을 의미하는 유효성 확인(3주, D+21일)별로 한계 기간을 정한다. 한계 기간은 생산하는 제품의 특성, 공정 복잡성, 조직문화를 반영해 내부에서 합의해 결정하면 된다. 절대적인 기준은 없다.

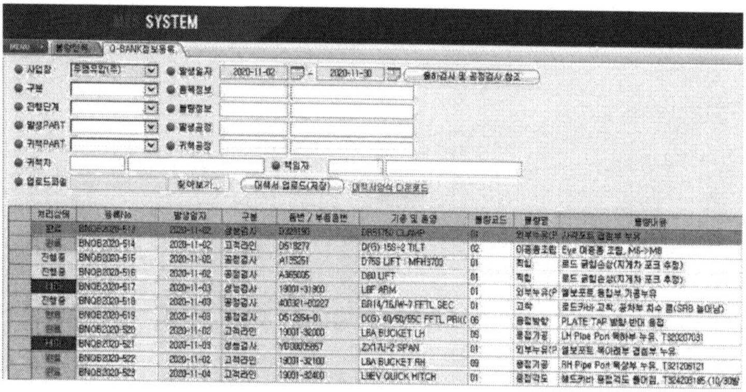

SYSTEM

MENU | 불량관리 | Q-BANK정보등록

● 사업장 [illegible] ● 발생일자 2020-11-02 ~ 2020-11-30 출하검사 및 공정검사 참조
● 구분 ● 품목정보
● 진행단계 ● 불량정보
● 발생PART ● 발생공정
● 귀책PART ● 귀책공정
● 귀책자 ● 책임자
● 업로드파일 찾아보기... 대책서 업로드(저장) 대책서양식 다운로드

처리상태	등록No	발생일자	구분	품번 / 부품품번	기종 및 품명	불량코드	불량명	불량내용
[illegible]	[illegible]	2020-11-02	[illegible]	[illegible]	[illegible]	[illegible]	외부누유(P	[illegible]
완료	BNQB2020-514	2020-11-02	고객라인	D519277	D(G) 15S-2 TILT	02	이종품조립	Eye 이종품 조립, M6->M8
진행중	BNQB2020-515	2020-11-02	공정검사	A135251	D75S LIFT : MFH3700	01	찍힘	로드 긁힘손상(지게차 포크 추정)
진행중	BNQB2020-516	2020-11-02	공정검사	A365005	D80 LIFT	01	찍힘	로드 긁힘손상(지게차 포크 추정)
[illegible]	BNQB2020-517	2020-11-03	성능검사	19001-31900	LBF ARM	01	외부누유(P	엘보포트 용접부 기공누유
진행중	BNQB2020-518	2020-11-03	공정검사	400321-00227	BR14/16JW-7 FFTL SEC	01	고착	로드커버 고착, 공차부 치수 큼(SRB 늘어남)
완료	BNQB2020-519	2020-11-03	공정검사	D512954-01	D(G) 40/50/55C FFTL PRI(C	06	용접방향	PLATE TAP 방향 반대 용접
완료	BNQB2020-520	2020-11-02	고객라인	19001-32000	LBA BUCKET LH	09	용접기공	LH Pipe Port 목하부 누유, T320207031
[illegible]	BNQB2020-521	2020-11-03	성능검사	YD0005857	ZX1지-2 SPAN	01	외부누유(P	엘보포트 목아래부 겹침부 누유
완료	BNQB2020-522	2020-11-02	고객라인	19001-32100	LBA BUCKET RH	09	용접기공	RH Pipe Port 목상부 누유, T321206121
완료	BNQB2020-523	2020-11-04	고객라인	19001-32400	LHEV QUICK HITCH	01	용접각도	헤드커버 용접각도 틀어짐, T324208185 (10/30발

● MES 문제뱅크. 문제를 등록하고 추적관리한다.

'문제 추적관리'는 완료 시점에 과제의 유효성 평가, 수평 전개 검토, 표준류 반영 사항 등을 검토하는 활동이다. '과제 유효성 평가'는 도출된 문제가 해결되었는지 여부를 확인한다. 과제추진 결과로 P(생산성), Q(품질), C(원가), D(납기) 측면에서 얼마나 좋아졌는지를 파악한다. 문제의 근본 원인을 제대로 찾아 해결했는지 여부를 확인한다. 문제 재발 방지를 위한 관리사항까지 파악하면 마무리 된다.

'수평 전개 검토'는 유사한 방식으로 수평 전개가 가능한 공정(설비)을 파악한다. 유사한 문제가 발생 가능한 공정(설비)을 파악한다. 동일한 개선을 적용하면 효과를 볼 수 있는 공정(설비)까지 파악하면 된다.

'표준류 반영 사항'은 해당 개선사항과 관련된 표준류는 무엇이 있는지 확인하고 표준류 개정 여부를 검토한다. 개정하면 어떤 이슈가 있는지 파악하고, 개정항목에 대해 관련 부서와 협의하고 개정한다. 예를 들어 문제의 개선으로 공정 특성 또는 조건이 변경되었다면 PFMEA, 관리계획서, 작업표준 등의 관련 표준을 생산기술부가 개정한다.

문제 추적관리는 개선 결과를 자료화해 체계적으로 분류하고, 누구나 열람과 활용이 쉽도록 공용 서버의 파일 폴더에 저장관리하거나 별도의 데이터베이스를 구축해 관리한다. 유사한 문제를 해결해야 할 때 기존의 개선활동에서 아이디어를 얻을 수 있다. 또한 체계적 문제해결 활동과 CI 활동의 교육 콘텐츠로 유용하다. 일종의 지식경영(KM, Knowledge Management)으로 봐도 무방하다.

문제 추적관리에는 추가로 문제뱅크에 대한 분석활동을 수행한다. 월별로 팀별 등록 건수, 완료 건수, 완료율을 포함한 문제등록 현황을 분석한다. 공정별 문제 발생 건수 현황, 문제해결 리드타임을 분석해도 좋다. 현황을 분석해보면 잘하고 있는 부분, 부족한 부분이 보여 개선을 촉진한다.

필자가 지도한 D사는 MES에서 문제뱅크를 운영한다. 문제(problem)의 초성을 따서 'P-뱅크'로 부른다. MES로 문제뱅크를 관리하면 여러모로 장점이 많다. 문제가 등록되면 지정된 조치담당자에게 시스템이 자동으로 메일을 보낸다. 4단계 문제해결 단계마다 날짜가 임박하면 사전 안내 메일이 가고, 한계 기간이 지났는데도 진행사항 입력이 지연되면 '경고(warning)성' 메일이 날아간다.

매주 월요일 아침에는 전체 공장에서 'R(지연)'로 표시된 문제들이 리스트업되어 자동으로 메일링 발송된다. 오전 8시로 정해져 있어 1분도 늦는 법이 없다. 속칭 '블랙리스트(blacklist)' 공개다. 수신자는 임원진, 팀장, 담당자, 현장관리자까지 폭이 넓다. 담당자가 본인으로 지정된 문제가 'R(지연)'된 건으로 공개되면 얼굴 들고 다니기 힘들다. 최우선으로 서둘러 개선할 수밖에 없다. 상습범(리스트에 자주 올라가는 담당자)은 담당 임원이 직접 호출해서 주의를 준다.

CI를 운영하고 과제 추진 상황을 점검하기 위한 협의체가 필요하다. 조직에서 이미 운영하고 있는 회의체를 고려해 효율적인 회의체 운영방안을 구성하되, 문제뱅크 점검 관리 위주로 운영한다. 회의 주기와 방식은 조직 상황을 고려해 탄력적으로 운영한다.

CI 관련 회의체는 아침 조회, 생산종료 회의, 월간CI 회의가 기본이다. 아침 조회는 매일 조업 시작 전에 10분 내외로, 현장관리자 주관 하에 현황판 앞에서 진행한다. 아침 조회 진행은 먼저, 전일 현장 이슈와 KPI 진행 상황을 파악한다. LPA 점검사항과 5S 점검

결과를 공유한다. 등록된 문제를 공유하고 개선 테마를 정해주거나 제안활동으로 개선을 유도한다. 전달사항을 전파하고 애로사항을 경청한다.

"10분 안에 이 많은 걸 어떻게 다 진행합니까?"라고 볼멘소리하는 현장관리자도 있다. 일일 조회는 현장 상황을 파악하고 관리하는 목적이기에 요일별로 중점점검사항을 정해 운영하면 효과적이다. 공통점검사항과 함께 요일별 중점점검사항을 정해놓으면 된다. 예를 들어 월요일은 라인 정지현황과 대책, 화요일은 LPA 점검 사항, 수요일은 5S 점검 사항, 목요일은 제안실적과 근태 관련 사항, 금요일은 OPL과 개선 우수사례 공유 등으로 정할 수 있다.

생산종료회의는 매일 정해진 시간에, 예를 들어 16시에 현장관리자 전원과 각 부서장 참석 하에 회의실에서 생산팀장이 주관한다. 생산운영 중 당일 발생문제는 당일 해결 또는 당일 대책수립이 목표다. 비가동 이슈사항에 대해 문제뱅크 등록 여부를 협의해 결정한다. 타부서 협조사항을 건의하고 이전 등록 문제에 대한 개선진행 애로사항에 대해 협의한다. 근인개선이 필요한 과제 등록과 조치 방안이 수립되었으면 회의를 종료한다.

월간CI 회의는 공장장 주관 하에 전부서장이 참석한다. KPI 실적 및 달성현황을 공유하고 문제를 협의한다. 문제뱅크에 등록된 주요 과제 진행현황을 공유하고 개선 지연 건에 대해서는 해당 부서에게 소명할 기회를 준다. CI 운영에 있어서 이슈를 협의하고 회사 차원의 지원 요청사항과 현장 건의사항을 공유한다. 특별한 이슈가 없으면 답답한 회의실이 아닌 현장에서 회의를 진행하거나, 공장장이 라인별로 순회하며 현장점검으로 대체하기도 한다.

추가로 여러 회의체를 운영할 수 있으나 회의체가 많다고 좋은 것은 아니다. 앞서 말한 3개의 회의체가 톱니바퀴처럼 맞물려 돌아가는 게 중요하다. 현장 주도가 되기 위해서는 필자의 경험상, 현장 관리자 주관의 아침 조회가 잘 운영돼야 한다. 자칫 회의체가 형식적으로 운영되지 않도록 주의하고 경계할 필요가 있다.

● 일일 아침 조회 (출처: 두산산업차량 중국공장)

CI를 효과적으로 운영하기 위한 도구가 현황판이다. 현황판은 CI 활동에 윤활유 역할을 하는 매개체다. 현황판만 있다고 CI가 잘 굴러가는 건 아니지만, 현황판이 CI 추진에 중요한 역할을 하는 건 분명하다. CI 현황판은 작업장 내에서 라인별 또는 직별(규모가 작은 경우 반별)로 운영한다. 현황판은 현장의 주요 이슈와 과제 현황을 공유하고 개선 진척 상황을 지속적으로 모니터링하는 역할을 한다. 현황판의 장점을 살려 뭐든지 한눈에 보여준다. 현황판에 게시할 항목과 양식은 작업장의 특성과 여건에 따라 고민해서 구성한다. 현황판은 운영 목적과 정보 공유 대상을 고려해 설계하고 항목별로 주기를 구분해 관리한다.

현황판 내에 필수항목은 단위조직별(직·반별) KPI다. 제조 기업에는 최상위 공장단위의 KPI가 있다. 생산성, 원가, 품질, 납기, 안전 등과 관련된 성과지표다. 공장단위 KPI는 목표가 있고 이 목표는 단위조직들이 활동한 결과가 합쳐져서 달성된다. 단위조직의 KPI 성과가 좋아야 공장단위의 KPI 목표가 달성된다는 의미다. BSC 관점으로 보면 하위단위로 지표를 전개(cascading)한 개념이다.

현장관리자의 책임 하에 공장 KPI와 정렬된 단위조직의 성과지표 항목과 목표를 정하고, 월간 또는 주간, 일간 단위로 실적을 기입한다. 목표달성 정도에 따라 GYR 표시는 기본이다. 우리 직(반)의 성과가 어떤지, 목표달성은 하고 있는지 한눈에 보인다. 조직원이 관심을 가지면 목표를 달성할 확률은 그만큼 높아진다.

성과지표와 함께 현황판에는 단위조직의 품질현황, 생산현황, 개인별 제안실적, 소그룹 테마개선 진행현황, 근태현황, 5S 평가결과 점수, 문제뱅크 진행현황 등을 게시한다. 게시 항목별로 철저히 단위 직(반) 범위에 충실하고 집중한다. 개선사례와 공지사항도 운영하면 좋다. '가족 방'이라는 공간을 만들어 직원들 경조사나 생일자를 게시하는 회사도 있다. 가족 같은 분위기, 팀워크 만들기에 도움이 된다.

현황판을 점검하면 CI가 제대로 운영되고 있는지 바로 파악된다. 필자는 공장장과 함께 공장 내 비치된 CI 현황판을 차례대로 돌면서 추진상황을 점검한다. 현황판 앞에 도착하면 간단히 인사를 나누고 현장관리자의 브리핑을 받는다. 성과지표 실적을 포함해 게시물별 활동 내용을 간략하게 보고 받고 공장장이 직접 피드백하도록 유도한다. 필자가 직접 피드백하는 것보다 훨씬 효과가 크다. 필자는 단지 거들뿐이다. 공장장에게는 "질책보다는 격려를 많이 해주세요!"라고 당부한다. 사전에 미진한 사항이나 칭찬거리를 살짝 알려주기도 한다.

이상으로 CI 운영 요령에 대해 다소 장황하다 싶을 정도로 설명했다. 요약하면 CI 추진은 '문제 발굴, 문제관리, 문제해결' 등 3단계로 진행한다. 회의체와 활동 현황판이 도움을 주고 효력을 발휘한다면 CI 추진이 무리 없이 진행될 것이다. 허들이 많지만 꾸준히 한다면 반드시 성공할 수 있다.

CI 활동은 생각만큼 쉽지 않다. 현장이 주도해야 하기 때문이다. 누군가 "CI는 혁신의 종점이다."라고 했다. 혁신은 끝이 없다고 했는데 종점이라는 말이 다소 이상하게 들릴 수 있겠다. 정비가 잘 되어 있는 나름 체계가 있는 공장이 마지막에 추진한다는 의미로 받아들이면 좋겠다. 5S도 잘 못하는 공장, 늘 불량 안고 사는 공장, 비가동과 정체가 밥 먹듯이 일어나는 공장, 대로트로 만들어 재공이 넘쳐나는 공장에 CI를 추진할 수는 없지 않은가? 할 수는 있을지언정 성공을 기대하면 사치다. 방금 사칙연산 배우기 시작한 학생에게 미적분 풀라고 하는 형국이기 때문이다.

문제해결 역량을 키워라

문제란 어떤 목표와 현실(현상) 사이에 존재하는 장애를 말한다. 현실을 목표에 가깝게 근접시키고자 할 때 이를 방해하는 원인이다. 결국, 문제해결이란 현실을 명확히 인식하고 그 문제의 해결을 방해하는 장애들을 하나씩 제거해 나가는 것이다.

문제해결 역량이란, 직장생활에서 업무 수행 중에 발생하는 여러 가지 문제를 논리적, 비판적 사고를 통해 그 문제를 올바르게 인식하고 적절히 해결하는 능력이다. 문제가 일어난 후에 그것을 해결하는 능력뿐만 아니라 문제의 발생을 미리 막기 위해 갖춰야 할 능력이기도 하다. 하수는 문제를 해결하려 하고, 고수는 문제를 예방하기 때문이다.

개인이든 조직이든 문제해결 능력을 갖추는 것만큼 중요한 것은 없다. 지극히 일상적으로 발생하는 문제를 해결하는 방법도 매우 다양하다. '이론대로 잘되지 않는데…….' 하고 고민하는 사람이 있는가 하면, '나에게는 나만의 방식이 있지' 하며 자신의 방식을 고집하는 사람도 있다. 그리고 누구나 가끔씩은 '이렇게 하는 게 맞나?' 하며 자신의 문제해결 방식에 의문을 품기도 한다.

"좀 더 합리적으로 접근할 수 있는 방법이 없을까?"

"어떻게 하면 좀 더 나은 결론을 낼 수 있을까?"

"뭔가 중요한 걸 빠뜨린 건 아닐까?"

대부분 사람은 문제해결 능력이 학력이나 학식과 비례한다고 생각하지만 반드시 그런 것은 아니다. 문제해결 능력이란 지식이라기보다 일종의 지혜이기 때문이다. 사실을 안다는 것과 사실을 다룬다는 것은 분명 다르다. 단순히 지식인으로 머물러 있는 사람이 다른 사람을 변화시키고, 나아가 조직을 움직이는 것은 불가능하다. 문제가 생기면 문제의 구조를 논리적으로 파악하고 더 이상의 해결책을 찾을 수 없을 때까지 최대한 폭넓게 대책을 고민해야 한다. 또한 다른 이들을 설득해 함께 문제해결에 나서야 한다.

CI의 마지막 3단계는 '문제해결'이다. 발굴된 문제는 등록하고 추적관리하면서 해결해야 한다. 문제를 해결하는 방법은 사람마다 조직마다 제각각이다. 어떤 사람은 문제를 신속하고 원만하게 해결하는 반면, 어떤 사람은 늘상 해결이 안 되고 지지부진하다. 직원들의 문제해결 역량을 향상시키고, 조직의 문제 해결을 촉진하는 정형화된 문제해결 절차나 방법론이 필요하다. '정형화'란 문제를 해결하는 절차(procedure)를 정해놓고 조직원들이 따르도록 한다는 의미다.

간단한 문제는 즉개선으로 진행하지만, 고질적이고 심각한 문제는 근본 원인을 찾아 개선해야 하기에 해결에 많은 노력이 필요하다. 복잡한 문제일수록 여러 인자(요인)가 실타래처럼 엉켜 있기에 팀워크를 바탕으로 한 협업이 요구된다. 근본 원인을 찾아 개선하는 활동을 줄여서 '근인(根因) 개선', 또는 'PSP' 활동이라 한다. PSP는 'Problem Solving Procedure'의 약어로 '문제해결 절차' 또는 '문제해결 방법론'으로 부른다. 글로벌 제조사는 자사 고유의 문제해결방법론을 가지고 있다. 포드의 '8D Report', GE의 Six Sigma 'DMAIC 방법론', 도요타의 'A3 Report'가 대표적이다.

8D Report의 'D'는 'Discipline'의 약어로 '훈련, 단련'을 의미한다. 포드자동차에서 처음 고안해 사용했으며 그 후 널리 퍼져 자동차업종과 글로벌 제조사들은 대부분 이 방법론을 도입했다. 여기서는 8D Report의 문제해결방법론을 줄여서 전개하는 5D Report를 소개하겠다.

● 근본 원인을 찾아야 문제가 해결된다.

문제뱅크에 등록된 PSP 과제는 5D Report로 전개한다. 1D 문제 정의부터 2D 봉쇄조치, 3D 원인분석, 4D 개선대책, 5D 유효성 확인 순으로 추진한다. 문제해결 기간은 제품의 특성과 복잡성, 조직의 문제해결 역량을 적절히 고려하되, 최대 3개월을 넘지 않도록 한다. 최근에는 애자일(agile), 스피드(speed)가 화두이기에 1개월 내로 기준을 정하는 추세다.

1D는 '문제 정의(problem definition)'다. 어떤 상황에서 무엇이 핵심적인 문제인가를 알아내는 것이 문제 해결의 첫걸음이다. 경험이 많은 사람일수록 현장에 도착해서 순식간에 일어난 사실에 대해 정보수집부터 시작한다. 테마(theme)는 신중히 작성한다. 테마만 읽어봐도 어떤 문제인지 쉽게 이해되어야 한다.

문제 정의는 육하원칙에 입각해서 기술한다. 누가(who), 품명·품번(what), 언제(when), 장소(where), 불량현상(why), 수량(how many), 재발(recurrence) 내용을 차례대로 기술한다. 템플릿 형태로 만들고 손쉽게 작성하는 것도 방법이다. 문제 사진이나 도해를 넣어 이해를 돕도록 한다.

2D는 '봉쇄조치(containment)'다. 임시조치(interim action) 또는 긴급조치(immediate fix)로도 표현한다. 문제가 발생하면 관련자에게 신속히 통보하고 정지, 선별, 전수검사 등의 긴급조치를 먼저 취해야 한다. 임시조치 결과에 대한 검증 후 더 이상 문제가 발생되지 않고, 임시조치로 인해 또 다른 문제(마이너스 영향)를 발생시키지 않는지 확인한다. 임시조치는 트러블의 근본적 대책이 될 수 없기에 안심할 수 없다.

문제 발생 24시간 이내에 긴급히 조치한 활동을 정리해서 작성한다. 이미 발생한 문제가 동일하게 발생할 수 있는 상황을 점검한다. 예를 들어 고객라인에서 불량이 발견되면 자재창고에 해당 부품은 이상이 없는지, 공정 중에서 만들고 있는 제품은 이상이 없는지, 완성품 창고에 보관된 제품은 이상이 없는지 체크한다. 필요하면 협력사나 고객에게 이동 중인 물량까지도 조사한다. 현장관리자에게 불량 내용을 신속히 공유해 주의를 주는 것도 포함한다.

3D는 '원인분석(root cause analysis)'이다. 문제를 세분화해서 파악하고 원인을 분석하는 단계다. 원인을 제대로 알지 못하면 백약이 무용지물이다. 예를 들어 말 못 하는 아기가 갑자기 울기 시작한다. 엄마는 무엇 때문에 우는지 이유를 알아야 아기의 울음을 멈출 수 있다. 아이를 울게 만든 원인이 제거되지 않으면 아무리 업고 달래봐야 울음은 멈추지 않는다. 아이가 무엇 때문에 우는지 엄마가 원인을 찾아서 그 해결책을 적용하면 아이는 울음을 멈춘다. 원인을 정확하게 알고 대책을 강구할 때 이상 상황을 정상으로 돌릴 수 있다.

필자가 업체를 코칭하면서 문제해결 보고서를 검토할 때 흔히 보는 상황이 있다. 근본 원인분석 단계의 작성 내용을 보면 대부분 작업자 탓만 한다. 예를 들어 "작업자 실수로 물건을 잘못 만들었다." "작업자가 실수로 자주검사를 누락했다." 등이다. 개선대책은 뻔하다. "작업자 교육 강화"로 적혀 있다. 근본 원인을 제대로 찾지 못했기에 동일한 문제가 계속 재발한다.

원인분석은 '4M 변경사항에 대한 점검'부터 시작한다. 방법

(method) 관점에서 올바른 작업표준이 게시되었는지, 작업표준을 준수했는지, 표준을 이해하고 있었는지, 작업이 교대(shift)마다 동일하게 진행되었는지 등을 체크해본다. 사람(man) 관점에서 작업자 변동은 없었는지, 작업자 교육은 적절했는지 등을 체크해본다. 재료(material) 관점에서 정확한 부품이 사용되었는지(오사용 여부), 부품은 정확한 위치에 보관되고 있었는지, 부품은 스펙을 만족했는지, 부품의 최근 변경사항이 있었는지 등을 체크해본다. 설비(machine) 관점에서 정확한 공구·Tool·검사구가 사용되었는지, 설비예방점검은 실시되었는지, Error Proof는 잘 작동했는지 등을 체크해본다.

구체적인 원인분석은 'Prevent, Protect, Predict' 관점에서 문제를 분석한다. 첫째, Prevent는 '불량현상을 왜 예방하지 못했는가?' '왜 이 공정에서 발생했는가?'이다. 즉, 발생 원인이다. 둘째, Protect는 '불량현상을 왜 검출하지 못했는가?'이다. 즉, 유출 원인이다. 셋째, Predict는 '불량현상을 왜 예상하지 못했는가?'이다.

원인분석 전개는 '5Why' 기법을 사용하면 효과적이다. 5번의 Why로 끝이 보일 때까지 깊이 파고든다. 최소한 세 번 이상의 Why에 대한 물음이 중요하다. 5Why는 현장에서 현물을 보고 현상을 살펴야 근본 원인이 찾아진다. 탁상공론하면 헛다리짚기 십상이다. 팀워크를 발휘해야 할 문제해결 과정이 '네 탓'만 하다가 끝나 버린다.

4D는 '개선대책(corrective action)'이다. 개선대책은 재발 방지 대책, 검출 대책, 예방 대책, 실수방지 대책을 포함한다. 조치내용을 충분히 도출하고 담당자와 계획 일자를 정한다. 개선대책 수립할 때

팁이 있다. 조치사항을 트리(tree) 형태로 도출하고, 하위 항목부터 상위 항목까지 모두 조치한다면 파악된 원인이 제거되는지 논리적으로 검증해 본다. 개선대책도 템플릿 형태로 만들면 작성하기 편하다. 조치사항별 실제 완료 일자와 상태(GYR)도 추가하면 좋다.

마지막 5D는 '유효성 확인(validation)'이다. 실행한 개선대책이 효과가 있는지 검증한다. 충분한 기간의 데이터를 수집해 실제로 불량이 줄었는지, 비가동이 재발하지 않는지 등을 모니터링해 본다. 개선 완료 후 7일 이내 실시하는 것이 일반적이다. 검증방법은 그래프나 런차트(run chart), 관리도 등이 유용하다. 유효성이 확인되면 잠재적으로 동일한 결함 유형을 생산할 수 있는 유사제품 또는 공정을 파악하고, 전 조직에 걸쳐 해결책을 수평전개 한다. 작업표준 등 필요한 문서를 갱신하고 시스템이 표준에 따라 일관되게 운영되는지를 검증하기 위해 LPA를 시행한다.

추가로 '습득교훈(lesson learned)'을 작성하는 것도 좋다. 습득교훈이라 함은 금번 문제를 해결하는 과정에서 미처 예상치 못했지만 '배우게 된 깨달음'이란 뜻이다. 습득교훈은 공유되고 전파되어야 한다. 발생된 문제로 인해 습득한 교훈, 지식을 최대한 활용해 유사부품, 제조공정, 공장, 사업부 단위에서 동일한 문제가 재발되는 것을 방지하기 위해서다.

필자는 5D Report를 A3 용지에 작성하기를 권한다. A4 사이즈는 너무 작고 A3 사이즈가 딱 좋다. A3 사이즈라도 주절주절 워딩(wording)을 많이 하면 용지가 부족하다. 키워드 중심으로 작성하고 시각화해서 정리해야 보기도 좋고 칸도 부족하지 않다. 완성되면 현황판에 공유용으로 게시하기도 좋다.

1D부터 5D까지 템플릿을 만들어 놓고 채워 넣기 쉽게 한다. 입력하는 칸을 만들어 놓으면 어떻게든 채워야 하는 부담감이 있기에 한 번쯤은 생각해 볼 수밖에 없다. 그러다 보면 어느새 5D Report 작성이 익숙해지면서 점점 문제해결 역량이 커지는 것이다. 근육이 붙으려면 시간이 걸린다. 하루 이틀 무거운 거 열심히 든다고 근육이 붙는 게 아니다. 시간을 가지고 여러 번 반복하다 보면 부지불식간에 문제해결에 대한 근육이 붙고 있음을 느낄 것이다.

필자는 품질향상, 지속적 개선(CI) 영역을 지도할 때면 직원들에게 항상 물어보는 질문이 있다.

"여러분들 중에서 8D, 5D Report 쓰는데 나는 자신 있다 하시는 분 손들어보세요. 4D도 좋습니다."

잠시 정적이 흐른다. 혹시 손드는 사람이 있는지 주위 눈치만 살핀다. 많은 사람이 문제해결 보고서 쓰는 일을 부담스러워한다. 훈련이 부족하기 때문이다. 써본 경험도 없고 회사에서 체계적으로 교육받은 적도 없다. 규모가 작은 기업일수록 이런 현상은 더 심하다. 처음부터 문제해결 보고서를 잘 쓰는 사람은 없다. 반복해서 써보고 연습해야 한다.

도요타를 자칭 '문제해결 전문가 집단'이라고 표현한다. 도요타 직원들은 "어떻게 하면 문제해결 방식이 그들의 일상 업무 속에 녹아 들어갈 수 있을까?"에 대해 끊임없이 연구했다. 결국 그들은 매일의 일상 속에서 적는 보고서에 이 모든 것을 녹아 들어가게 했다.

도요타에 입사하면 신입사원 시절부터 예외 없이 'A3 Report'를 써야 한다. A3 Report는 도요타의 문제해결방법론이다. A3 용지 한 장에 문제 정의부터 해결방안 제시, 그리고 변화관리까지의 모든 개선내용을 한눈에 파악할 수 있도록 작성한다. 의사소통이 간결하고 명확해지는 장점이 있다.

A3 문제해결 방법론은 데밍(Deming) 사이클로 잘 알려진 PDCA 사이클 형식을 따르며 크게 7단계로 구성된다. 작업자의 문제해결을 가이드하고 동시에 엄격한 절차를 제시한다. A3 Report의 7단계 작성요령은 지면상 생략하겠다. 5D Report 작성요령과 별반 다르지 않다.

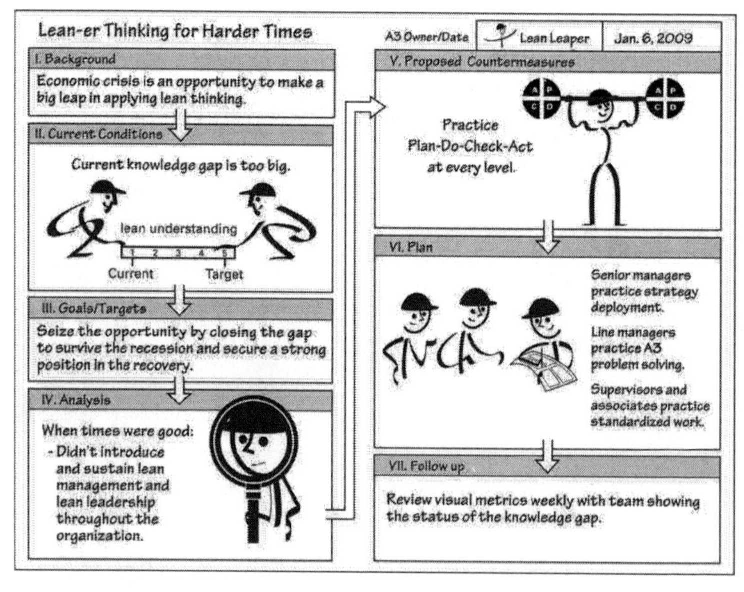

● 도요타의 A3 Problem Solving. 문제해결은 훈련이 필요하다.

하나의 A3 Report는 통상 3~4개월 내로 작성하는 것이 기준이다. 1년이면 3~4건이 나온다. 이 작업을 관리자가 될 때까지 계속 반복한다고 상상해보라. 자연스럽게 인재육성이 되고 문제해결사가 된다. A3 Report 한 건 종결하는 일은 그리 녹록지 않다. 7단계를 진행하는 과정에서 한 단계를 마칠 때마다 상사(관리자)에게 검토를 받아야 한다. 예를 들어 상사는 근본 원인분석 단계에서 "이 문제에 대해 원인과 결과가 설명되고 연결이 되는지 검증했습니까?" 라고 피드백 준다. 명쾌히 답을 못한다면 보고서를 수정 보완해야 한다. 보고서를 적으면서 생각하고, 이것을 상사가 다시 검토하면서 상사와 부하 간에 소위 '지혜 경쟁'을 한다.

담당자 입장에서 보면 문제를 해결하는 과정에서 충분히 피드백을 받는 것이고, 문제를 해결하는 시야가 넓어진다. 상사 입장에서 보면 과거 경험에 비추어 피드백 사항을 찾고 고민하면서 자연스럽게 실력이 탄탄해진다. 남을 가르치면서 실력이 부쩍 느는 경우가 많다. 도요타에서는 이런 활동을 '톨게이트 리뷰(tollgate review)' 라 부른다. 고속도로 톨게이트에서 요금을 지불하지 않으면 게이트를 통과하지 못하는 상황과 유사하다.

PSP에서 마지막 'P'는 절차(procedure)를 의미한다. 절차나 프로세스의 효용은 요구하는 과정을 충실히 따르면 좋은 결과를 기대할 수 있다는 것이다. 프로세스를 '과정관리'로 부르는 이유다. Tollgate Review 체크리스트에 대해 궁금한 독자는 《A3 씽킹》(드워드 소벡, 아츠 스몰리 공저)을 참고하기 바란다.

조직의 문제해결방법론 단계에 맞게 적절히 응용해서 자사의 검토 체크리스트 만들기를 권고한다. 체크리스트에서 요구하는 사항을 충분히 이해하고 문제해결 과정을 충실히 진행한다면 문제해결 보고서의 질 향상에 도움을 줄 것이다. 문제해결의 성공 확률도 당연히 올라갈 것이다.

신바람 나는 개선을 촉진하라

구성원들이 리더가 시키는 일만 해서는 조직이 원활하게 운영되지 않는다. 구성원들이 알아서 자발적으로 조직을 위해 한 걸음 한 걸음 더 나아가야만 시너지 효과가 생기고 조직이 원활하게 운영되며 성과가 좋아질 수 있다. 논어에 '근자열원자래(近者悅遠者來)'라는 구절이 나온다. 가까이 있는 사람을 기쁘게 하면 멀리 있는 사람이 찾아온다는 의미다. 현장 리더들의 노력이 구성원들의 추가적인 노력을 이끌고 멀리 있는 고객도 알아서 발걸음하게 만든다.

'좋은 일터'란 근로자가 조직과 동료에 대한 신뢰를 바탕으로 일에 대한 자부심을 가지고 즐겁게 일하는 곳이다. 이를 통해 자연스럽게 생산성이 향상되어 높은 성과가 창출된다. 직장의 규모, 연봉의 크기가 직원들의 마음을 사로잡는 최우선 조건은 아니다. 오히려 직원들은 일에 재미를 느끼며 신바람 나게 일할 수 있는 일터를 선망한다. 즐겁게 일할 수 있는 것만큼 직원들의 기를 살릴 수 있는 것도 드물다. 즐거움은 조직의 윤활유와도 같아서 갈등을 예방하고 해소하는 한편, 힘든 작업도 감당하게 하는 영양제 역할을 한다.

"해보니 재밌네! "조금 더 해보자."라는 분위기가 어깨를 들썩이게 해 CI 활동을 촉진한다. CI 활동을 활성화하는 다양한 '프로그램'이 필요한 이유다. 변화관리 교육이나 조직 활성화 워크숍을 주기적으로 제공한다. 현장 조직에 대한 경영진의 순회 간담회를 주기적으로 진행한다. 현장작업자의 건의사항과 애로사항을 청취하고 회사의 이슈사항을 공유한다. 선진기업에 대한 벤치마킹을 통해 직접 보고 느낄 수 있는 혁신의 계기를 제공한다.

CI 활동의 붐(boom) 조성을 위해 수시로 '이벤트'를 실시해도 좋다. 아이디어 경진대회, 이달의 우수사원, 칭찬 릴레이, 현장 보물(낭비)찾기 등 재미있고, 즐겁고, 신바람 나는 이벤트로 기획한다. 슬로건이나 포스터를 곳곳에 게시한다. 현관, 복도, 계단, 식당, 휴게실, 화장실 등 직원들이 눈만 돌려도 쉽게 보이는 장소가 좋다.

연말에는 CI 페스티벌을 벌인다. 우수사례 발표를 통해 1, 2등을 선정하는 경진대회도 좋다. 전사적으로 CI 붐을 조성하고 혁신 의지를 북돋우는데 제격이다. 테마개선 우수상, 제안왕 등 페스티벌에서는 "아! 부럽다!" 할 정도의 화끈한 포상을 주어야 한다. 돈이 전부는 아니라지만, 작업자들에게는 그래도 두둑한 포상금이 최고의 당근이다. 어중간한 포상금은 안 주니만 못하다.

● 신바람 나는 개선을 촉진하라. (출처: 두산산업차량 중국공장)

현장관리자는 맡고 있는 라인이 '지속적으로 변화하고 있는가?' 항상 고민해야 한다. '작업자들의 의식, 작업 환경, 품질이 좋아지고 있는가?', '문제를 지속적으로 개선하고 있는가?'에 초점을 두고 현장을 들여다봐야 한다.

현장이 주도하는 강한 현장의 필수 조건은 '현장관리자의 책임과 역할 확대'다. 현장관리자는 '공장의 꽃'으로 표현한다. 꽃은 중심이다. 항상 스포트라이트를 받는다. 현장관리자는 믿음을 주는, 믿을 수 있는 리더가 되어야 한다. 다양한 인간관계가 얽혀 있는 조직에서 그 관계를 관리하고 조율하는 것은 현장관리자의 역할 중 가장 중요한 부분이다. 현장관리자는 강한 현장을 만들기 위해 믿음으로 그 관계를 공고히 해야 한다. 그렇지 않다면 조직 내 불협화음은 끊이지 않을 것이며, 성과 창출은 요원한 일이 될 수 있기 때문이다.

리더의 언행은 반드시 일치해야 한다. 현장관리자가 보여주는 말과 행동이 일치하지 않으면 작업자들은 혼란에 빠지고 진의를 의심하게 된다. 일단 입에서 나온 말은 주워 담을 수 없기 때문에 말을 하고 약속하기에 앞서 확실히 지킬 수 있는지를 따져야 한다.

현장관리자가 갖추어야 할 덕목 중 또 하나는 격려와 칭찬을 아끼지 않는 동료애가 필요하다. 계절에 따라 수만리를 이동하는 기러기는 공기의 저항을 최소화하기 위해 'V'자 대형으로 이동한다. 그럼에도 불구하고 선두는 공기의 저항을 가장 많이 받는 자리이기 때문에 쉽게 지치기 마련이다. 그래서 여러 마리가 선두 자리를 정기적으로 교대하기도 하며, 후미에 있는 기러기들은 비행하는 동안 선두 기러기가 지치지 않도록 울음소리를 내어 격려하기도 한다. 강한 것이 살아남고 약한 것이 도태되기 마련인 동물 세계에서 배려와 격려를 통해 공존을 모색하는 이런 모습은 배울 만하다. 격려와 칭찬을 통해 작업자들과 갈등 없이 지낼 수 있는 것도 큰 행복 중 하나다.

현장이 주도하는 강한 현장을 만들기 위해서는 현장관리자가 그 역할과 책임을 완수해야 한다. 후공정은 고객이란 생각으로 불량은 주지도 만들지도 받지도 않게 한다. 생산계획은 월간, 주간, 일일, 매시간 반드시 달성한다. 팀워크, 공정편성, 이상 파악, 신속조치, 안전 등 최고의 생산 환경을 만들려 노력한다. 일의 표준화를 주도한다. 룰(rule)을 만들고, 지키고, 그 위에 룰을 개선하는 것이 표준화를 주도하는 방법이다. 생산 활동은 이익을 만들어내는 것임을 이해하고 전파한다. 부하육성과 관리에 앞장선다. 자신의 기능 수준을 높이고 전승하며 후계자를 키운다. 끝으로 변화를 두려워하지 말고 변화에 적극적으로 대응해야 한다. 기본에 충실하고, 미래를 읽으려 노력하며, 평소에 실력을 쌓아야 한다.

현장 스스로 문제를 인식하고 개선하는 활동이 바람직하다. 우리 현장의 문제 개선 능력은 충분한가? 이에 대한 수준은 총 4레벨로 설명할 수 있다. 1레벨은 문제가 있어도 모른다. 2레벨은 문제를 알아도 그냥 넘어간다. 3레벨은 문제를 찾고 개선하나 일시적이다. 4레벨은 지속적으로 문제를 찾고 개선한다. 현장관리자가 중심이 되어 소속 작업자들과 4레벨을 유지한다는 건 말처럼 쉽지 않은 일이다. 현장은 매일의 과업을 달성하는 것이 최우선 목표이기 때문이다. 계획 생산량을 뽑아내야 하고 품질을 맞춰야 한다.

바쁘다고 핑계를 대면 지속적 개선은 요원하다. 현장관리자의 의식이 깨어 있어야 한다. 바쁜 일과 중에서도 하고자 하는 의지만 있으면 얼마든지 할 수 있다. 쉽게 할 수 있도록 멍석을 깔아주면 된다. 멍석 깔아주면 익숙해지기 전까지는 '어쩔 수 없이 해야 한다.'는 부담감을 준다. 자율이 전제되어야 하지만, 익숙해지려면 약간의 푸시(push)는 약이 된다.

전원이 참여하는 지속적 개선활동으로 '개선제안 활동'과 '분임조 활동'이 있다. 두 활동 모두 역사도 깊을뿐더러, 그만큼 널리 알려져 있다.

개선제안 활동이란 '자신의 일(업무) 또는 모든 업무 중 발생되는 불합리(문제)를 찾아 보다 쉽고, 편하고, 빠르고, 정확하게 그 일을 처리할 수 있도록 방법과 수단을 바꾸어 주는 능동적인 활동'으로 정의한다. (출처: 〈품질 그리고 창의〉, 897회)

개선활동에서는 할 수 없는 큰 아이디어보다 손쉽게 실시할 수 있는 작은 개선안이 높이 평가된다. 아이디어는 실시되어야 가치 있고, 실시된 아이디어가 좋은 아이디어이기 때문이다. 그런데 세상에는 무조건 큰 아이디어가 좋다고 생각하는 사람이 많다. 그런 사람에게는 작은 것일수록 좋은 개선이고, 작은 아이디어를 생각해내는 사람일수록 개선 능력이 뛰어나다는 것을 이해시킬 필요가 있다. 문제 인식이 날카로울수록 원인의 핵심에 접근할 수 있기 때문이다. 원인을 작게 파악할 수 있으면 그 대책도 작다. 즉, 작은 개선안이다.

개선하지 못하는 사람은 이 반대다. 문제 인식이 엉성하다. 그러면 막연한 원인밖에 파악하지 못한다. 그 대책도 막연하다. 작은 아이디어를 낼 수 있다는 것은 문제를 분석하고 원인을 밝혀내는데 예민하고 문제 해결력, 즉 개선 능력이 있다는 증거다. 실시할 수 없는 큰 아이디어 보다는 실시할 수 있는 작은 아이디어가 더 값지다. 아이디어는 실시되어야 비로소 가치가 있다.

작은 아이디어들이 모여 큰 성과를 이룬다는 것이 개선제안의 근본 취지다. 아무리 훌륭한 생각을 하고 아무리 강한 발언을 하더라도 그것이 행동으로 이어지지 않는 한, 그 가치는 전혀 인정될 수 없다. 행동이 성과를 낳는다. 성과가 오르면 모든 것이 해결된다. 개선에서 내일이란 있을 수 없다. 오직 지금뿐이다.

필자는 제안 제도가 있지만 실질적인 활동은 하지 않는 기업들을 많이 봐왔다. 유명무실한 제도로 애물단지가 되어 있었다. 경영자는 담당 부서에(일반적으로 품질부서가 담당한다.) "개선제안 활성화 방안을 내놓으세요!"라고 닦달한다. 담당 부서는 "직원들이 개선제안에 대한 마인드가 없습니다."라며 손 놓고 있다. 개선제안이 활성화되려면 다음 네 가지에 대한 세심한 주의가 필요하다.

첫째, 제안은 신속하게 심사한다. '개선제안 운영지침(절차)'을 만들어 심사 기한을 명확히 정한다. 예를 들어 '제안접수 후 D+7일 이내' 심사해야 한다. 제안자는 본인의 제안이 채택됐는지, 채택이면 몇 급으로 평가됐는지 항상 궁금하다. 이런 상황에서 제안 심사가 지연되는 상황은 제안에 대한 의욕을 꺾어버린다. 제안운영 담당자나 관리부서에 문의해도 무작정 기다리라는 답만 돌아온다. "에이, 제안 금액 몇 푼 받으려고 내가 이러고 있나?" 싶어 다음부턴 제안 안 낸다.

둘째, 제안은 공정하게 심사한다. 제안 운영지침에 평가기준을 명확하게 정의한다. 현장, 현물주의로 심사하고 제안 배경과 의도를 중요시한다. 제안이 채택되지 않았다면 반드시 심사 코멘트를 전달한다. 내 제안이 어떤 부분이 부족해서 불채택 되었는지 알아야 다음에 더 발전할 수 있다. 무작정 "불채택입니다."라고 하면 제안자에게는 보이지 않는 불만이 쌓일 수 있다. 제안자에게 제안가치를 인식시켜 다음 제안을 할 수 있도록 정확하고 공정하게 신속히 심사한다.

셋째, '인당 제안 건수' 목표관리를 한다. 개선제안은 전원참여가 원칙이다. 작은 개선이지만 전원이 참여하면 아이디어의 양이 커지고, 양이 커지면 우수한 개선이 나올 확률이 높아진다. 예를 들어 '인당 년 20건'과 같이 목표를 설정한다. 라인별, 직·반별, 개인별로 실적을 게시하고 오픈하면 자율 경쟁이 생긴다. 현장관리자의 솔선수범이 받쳐줘야 한다. 조직원들에게 제안 제출하라고 독촉만 할 게 아니라, 현장관리자가 평소에 고민하고 제안 제출하는 모습을 자주 보여야 조직원들이 따라온다.

마지막 넷째, 제안에 합당한 장려금을 지급한다. 개선제안을 제출하고 채택되면 등급에 따라 포상금을 주는 게 관행이다. 이 돈은 포상금이 아니라 장려금이다. 개선활동에 참가해서 칭찬한다는 의미, 능력개발을 장려한다는 의미, 효과에 대해 보답한다는 의미다. 직원들에게 돈 쓰기에 인색한 경영자를 보면 "우리 직원들은 제안 제도에 대한 포상금이 있어도 제안 안 냅니다." 하며 탓한다. 장려금이 너무 낮은 수준으로 책정되어 있으면 장려하는 힘을 발휘하지 못한다. 무작정 많이 줄 수도 없으므로 적정 수준을 정하는 건 오로지 기업이 고민할 부분이다.

분임조 활동이란 '모든 일선 직장에서 일하는 사람들이 지속적으로 제품, 서비스, 일의 질에 대한 관리·개선을 실시하는 자주적 소그룹 활동'으로 정의한다. 분임조 활동은 과거부터 'QC 써클', '동아리 활동', '테마개선활동' 등 다양한 이름으로 진행해왔다. 지금은 분임조라는 이름이 진부하게 느껴져 자사의 고유 이름을 붙이는 추세다.

분임조 활동은 근무시간에 하는 것이 원칙이다. 근무시간 외에 진행하면 작업자들 불만이 생겨 활동이 잘 안 된다. 도요타의 경우 소집단 활동이 근무시간 외에 이루어지면 월 2시간까지는 잔업으로 인정하고, 2시간을 초과하면 교육 수당을 지급한다. 분임조 모임은 월 1회 2시간을 기본으로 하며, 한 가지 테마에 대해 보통 3~4개월가량 활동한다.

끝으로 CI 활성화 프로그램을 운영하고 있는 두 회사의 사례를 소개하겠다. 두 회사 모두 대기업이지만 조금만 응용하면 중소기업에서도 충분히 운영할 수 있다.

엘리베이터로 유명한 '티센크루프(ThyssenKrupp)'는 'SQDC 활동'을 전개한다. S(안전), Q(품질), D(납기), C(원가)를 의미한다. 각 라인마다 'SQDC 현황판'을 운영한다. 현황판은 의외로 간단하다. SQDC별 GYR 상태를 한눈에 보여주는 4개의 차트가 있고, 각 항목별로 'Current Month Issues'와 'Trend Chart'를 운영한다. 월별 문제점을 이슈리스트에 등록해서 개선하고 지표가 좋아지는지를 계속 모니터링하겠다는 의도다.

현황판 앞에는 동일한 규격의 원탁 테이블이 있다. 여기에 수첩이나 노트를 놓고 둘러서서 입식으로 미팅을 진행한다. 'SQDC 미팅'이라 부른다. 라인별 책임자가 S·Q·D·C별로 이슈를 설명하고 스텝들의 의견을 듣는다. 마지막으로 구호를 외치고 미팅을 마친다.

● 현장 SQDC 미팅 (출처: 티센크루프)

몇 해 전부터 필자가 지도하고 있는 D사는 소그룹 직별 활동을 '3Q 활동'으로 부른다. 3Q는 좋은 생각(Quality Thinking), 좋은 현장(Quality Factory), 좋은 제품(Quality Products)을 의미한다. 이 세 문장은 혁신 구호로도 쓰인다. '좋은 생각'이란 문제를 함께 고민하고 함께 해결하려는 생각, 표준을 준수하려는 생각이다. '좋은 현장'은 3정5S가 생활화된 현장, 서로 협력하고 하나가 되는 현장이다. '좋은 제품'은 고객이 원하는 수준의 품질, 고객이 원하는 적기에 공급되는 제품이다.

3Q 활동은 작업장 주도의 개선활동이다. 현장 스스로 문제를 발견하고 해결해 나가는 역량 향상을 목적으로 한다. 3Q 활동은 현장 스스로 개선하는 좋은 문화를 만드는 활동이다. 1단계, '5S 활동'은 '쾌적하고 생산성 높은 내 작업장 만들기'를 목표로 한다. 작업장을

5.0점 만점으로 평가한다. 직별로 전년 대비 개선목표를 수립하고 스스로 평가하고 개선한다. 2단계, '테마개선'은 '내 작업장의 숨은 문제 해결하기'를 목표로 한다. 직별 5인 내외로 소그룹을 구성하고 그룹별 분기 1건 이상의 테마개선을 추진한다. 3단계, '3Q 점검'은 '작업장 자율 점검을 통해 문제점 도출·개선하기'를 목표로 한다. 좋은 생각, 좋은 현장, 좋은 제품별로 체크리스트를 만들어 자율 점검한다. 점검해서 부족한 사항은 '즉실천 활동'을 원칙으로 개선한다.

전사 CI 운영부서는 분기별로 3Q 활동을 평가한다. 평가항목은 '개선제안, 테마개선활동, 5S 점수, 직별 KPI(생산, 품질, 안전) 실적, CI 현황판 운영 상태'로 총 5개 항목이다. 항목별로 가중치를 두고 100점 만점으로 평가한다. 경영자는 분기 1회 3Q 활동 점검에 나선다. 직별로 순회하며 CI 현황판 앞에서 직장의 브리핑을 받는다. 해당 직에서 수행하고 있는 테마개선활동, 5S 현 수준, 개선제안 실적 등을 설명하고 경영자는 칭찬과 격려한다.

연말에는 1년간의 3Q 활동 평가 점수를 종합하고 우수 테마개선 발표대회를 거쳐 1등과 2등을 선정한다. 발표대회는 대표이사와 임원, 팀장, 현장관리자가 모두 참석하는 축제의 장으로 만든다. 포상 금액도 '우와~!' 소리 날 정도로 크다. 수상하면 주위의 부러움을 한 몸에 받는다. D사의 직원들은 '3Q'라는 용어만 들어도 어떤 활동인지 서로 동일하게 인식한다. 이미 조직의 문화로 정착되었다.

3Q 활동은 필자의 선배 컨설턴트가 대기업뿐만 아니라, 소규모

중소기업에서도 동일하게 적용한 프로그램이다. 같은 프레임에서 세부 활동에 일부 차이만 있다. 전원참여 방식의 CI 활동이 기업 규모와 상관없이 성공할 수 있음을 증명한다. 어떤 중소기업 사장님은 CI 활동을 알려주었더니, "아이고, 우리 직원들은 시키는 것만이라도 제대로 했으면 좋겠습니다. 자율적으로 하면 좋은지 누가 모릅니까? 중소기업은 한계가 있습니다." 하고 말한다. 스스로 한계를 정해버린 셈이다.

CI 활동은 성공하기 어렵다고들 말한다. 성공으로 가는 길도 난관이 많다. 어려우니 도전해야 한다. 쉬우면 누구나 다한다. 현장이 자율성을 가지고 주도적으로 개선할 수 있다면 여느 회사보다 강한 조직이 될 것이다.

에필로그

혁신을 두려워하지 말라

"나무에 앉은 새가 나뭇가지 부러지는 것을 두려워하지 않는 것은 나뭇가지를 믿어서가 아니라 자신의 날개를 믿기 때문이다."라는 격언이 있다. 내가 속한 기업의 날개는 무엇인가? 우리가 우리에게 믿을 것은 무엇인가?

혁신은 다들 힘들다고 말한다. 기업의 규모, 업종에 상관없이 스스로 믿을 만한 날개는 그것이 크건 작건 간에 분명히 있다. 그 날개는 특출한 기술력일 수도, 탑(top)의 리더십이나 종업원의 로열티일 수도 있다. 가족 같은 분위기, 포기하지 않는 지구력, 아니면 말보다 실천이 앞서는 실행력일 수도 있다. 우리 기업이 가지고 있는 날개는 힘든 혁신을 조금은 수월하게 극복해나갈 수 있도록 도움을 준다. 혁신은 힘들다고 포기하면 안 되는 것이다.

대부분 사람이 혁신은 곧 위험을 감수하는 행위라고 생각한다. 하지만 피터 드러커는 "혁신이야말로 덜 위험한(less risky) 행동이다. 오히려 혁신하지 않는 것이 가장 위험한 행동이다."라고 강조했다. 혁신은 두려움의 대상이 아니라, 혁신하지 않음을 두려워해야 한다. 가장 큰 실패는 시도하지 않는 것이다. 모든 것을 바쳐 도전하고 감내하고 고통스러운 변화를 거치면 새로운 세계를 만나는 큰 기쁨을 누릴 수 있다.

2016년 필자의 처녀작 《리얼팩토리》가 나온 지 5년이 지났다. '작지만 강한 기업으로 살아남는 법'이라는 부제로 제조업의 혁신과 품질을 키워드로 쓴 책이다. 당시 은사님으로부터 '추천의 글'을 받고 조금은 당황스러웠다. 추천사에는 "향후 저자의 경험은 2권, 3권, 4권을 내놓으리라 의심치 않는다."라는 내용이 담겨 있었다. '이 고된 작업을 또 하라고요?' 고개를 절레절레 저으며 속으로 생각했다.

필자도 모르는 사이에 적지 않은 독자들이 책을 기다렸나 보다.

"다음 책은 언제 나오나요?"

"두 번째 책, 쓰고 계신 거죠?"

"품질에 대해 쓰셨으니, 생산에 대해서도 쓰셔야죠." 독촉성 질문을 종종 받았다.

"생각도 안 하고 있습니다."라고 손사래를 쳤지만, 한편으로는 '한 번 더 써볼까?' 하는 마음이 있었다. 5년이라는 시간 동안 많은 프로젝트를 진행하면서 글감도 넉넉히 생겼다. 이제 와서 첫 책을 보면 어딘가 모를 부족함을 느꼈고 만회하고픈 욕심도 있었다.

차일피일 미루다 2020년 초 코로나19로 인한 팬데믹 상황이 왔다. 사회적 거리두기로 자연스럽게 집에 머무는 시간이 많아졌다. 무심코 노트북을 켰다. 의지와는 상관없이 이내 글쓰기에 푹 빠졌다. 힘든 시절에 유익하면서도 '슬기로운 코로나 생활'을 보냈다.

2021년은 필자가 한국생산성본부(KPC)와 파트너십을 가지고 일한지 꼭 10년이 되는 해다. KPC와의 인연이 제조혁신 컨설턴트로서 필자의 삶에 중요한 터닝포인트가 되었다. 꾸준한 기회와 변치 않는 성원을 보내주시는 '스마트제조컨설팅센터'와 '직무교육센터' 전문위원들께 감사드린다.

무엇보다 필자와 같이 두산그룹 프로젝트를 8년 동안 진행하고 있는 한경희 선배님께 감사의 인사를 드린다. 선배님에게서 받은 지식과 지혜가 프로젝트를 진행하는 데 참 많은 도움이 되었다. 함께 일을 하는 것만으로도 든든한 버팀목이 되어 주셨다.

사례를 실을 수 있도록 흔쾌히 허락해주신 두산산업차량 임직원들과 협력사 사장님들께 감사드린다. 베스트 프랙티스와 현장 사진들이 부족한 책을 윤택하게 해주었다.

집필하는 과정에서 센스 있는 아이디어로 조언해준 아내에게 감사한다. 힘들 때 항상 힘이 되어주고 슬픔과 기쁨을 같이하는 '만호(滿湖)' 식구들에게도 감사한다. 일일이 존함을 밝히지 못하지만 필자에게 양으로 음으로 도움 주신 모든 분께 감사드린다.

집필을 한창 마무리하던 중 지병으로 고생하시던 아버지께서 영면(永眠)하시었다. 아버지 영전(靈前)에 이 책을 바친다.

약어 정리 (알파벳 순)

ATO (Assemble To Order, 주문조립생산), 126p

BIQ (Built-In Quality, 자공정 품질보증), 208p/225p

BOM (Bill Of Material, 자재명세서), 20p

CI (Continuous Improvement, 지속적 개선), 258p

CP (Control Plan, 관리계획서), 246p

CR (Cost Reduction, 단가인하), 26p

CSM (Current State Map, 현재상태지도), 74p

CTP (Critical To Process, 중요공정특성), 222p

CTQ (Critical To Quality, 중요품질특성), 222p

DPS (Digital Picking System, 디지털피킹시스템), 158p

EPEI (Every Part Every Interval, 평균생산주기), 134p

ERP (Enterprise Resource Planning, 전사적 자원관리), 85p/151p

ETO (Engineer To Order, 주문설계생산), 126p

FIFO (First-In First-Out, 선입선출), 157p

FMEA (Failure Mode Effect Analysis, 고장모드영향분석), 246p

FSM (Future State Map, 미래상태지도), 74p

IQS (Initial Quality Study, 신차품질조사), 205p

JIT (Just-In Time, 적시생산방식), 48p/66p/113p

KPI (Key Performance Indicator, 핵심성과지표), 41p

LOB (Line Of Balance, 라인편성효율), 89p

LPA (Layered Process Audit, 계층별 공정감사), 240p

MES (Manufacturing Execution System, 제조실행시스템), 20p

MTO (Make To Order, 주문생산), 126p

MTS (Make To Stock, 계획생산), 125p

OEE (Overall Equipment Effectiveness, 설비종합효율), 37p

OPE (Overall Process/People Effectiveness, 공수종합효율), 40p

OPL (One Point Lesson, 원포인트 레슨), 189p/220p

OTD (On Time Delivery, 정시납입률), 194p

PCE (Process Cycle Efficiency, 프로세스 주기 효율), 75p

PI (Process Innovation, 프로세스 혁신), 21p

POP (Point Of Production, 생산시점관리), 76p/156p

PPAP (Production Parts Approval Process, 양산부품 승인절차), 250p

PSP (Problem Solving Procedure, 문제해결 절차), 262p/274p

QFR (Quality Fast Response, 품질신속대응), 254p

QRS (Quick Reaction System, 이상반응시스템), 97p

RFID (Radio Frequency IDentification, 전자태크), 156p

SCM (Supply Chain Management, 공급망 관리), 124p/149p

SMED (Single Minute Exchange of Die, 기종변경시간), 136p

SPC (Statistical Process Control, 통계적 공정관리), 260p

TPM (Total Productive Maintenance, 전사적 설비보전), 105p

TPS (Toyota Production System, 도요타 생산방식), 46p

VDS (Vehicle Dependability Study, 내구품질조사), 204p

VM (Visual Management, 눈으로 보는 관리), 187p

VSD (Value Stream Design, 미래상태지도), 74p

VSM (Value Stream Mapping, 가치흐름지도), 72p

VSP (Value Stream Planning, 현재상태지도), 74p

WMS (Warehouse Management System, 창고관리시스템), 156p